JN317604

夏子の冒険

三島由紀夫

角川文庫
15624

目次

第一章　情熱家はどこにいるか？　7
第二章　これぞ情熱の証し　22
第三章　美しい浮世の一日　32
第四章　函館山の頂にて　40
第五章　恋に陥ちぬこそ不思議　48
第六章　麦藁帽子　57
第七章　やさしい片腕　72
第八章　寝耳にお湯　82
第九章　たのもしからぬ情熱家　88
第十章　狩の旅第一日　99
第十一章　御褒美は事成るのちに　103
第十二章　閑日月　112
第十三章　思わざる神の導き　118
第十四章　友情の見せどころ　129
第十五章　第二の狩　133
第十六章　帰りなんいざ　137

第十七章　親切の種類　148
第十八章　襲われて　158
第十九章　会見記　164
第二十章　不二子証人となる　178
第二十一章　戦闘準備　187
第二十二章　狩猟家気質　194
第二十三章　苦難の恋人　203
第二十四章　蘭越古潭の夜　209
第二十五章　登場人物一堂に会す　217
第二十六章　詫びるのも奇妙な成行　225
第二十七章　闇にうごめく物影　234
第二十八章　身の毛のよだつ来訪者　240
第二十九章　生きのかぎり忘れぬ一夜　248
第三十章　エピロオグ　255
解説　熊をめぐる冒険――一九五一年の文藝ガーリッシュ　千野帽子　269

第一章　情熱家はどこにいるか？

1

或《あ》る朝、夏子が朝食の食卓で、

「あたくし修道院へ入る」

といい出した時には一家は呆気《あっけ》にとられてしばらく箸《はし》を休め、味噌汁《みそしる》の椀《わん》から立つ湯気ばかりが静寂のなかを香煙のように歩みのぼった。

夏子は廿歳《はたち》である。子供の時分から、こういう宣言をおっぱじめて家人をおびやかす癖がある。

七歳の早春には、

「夏子、もうほうれん草をたべるのいやになった」

と宣言して、叱ってもなだめても、時期のあいだというもの喰《た》べなかった。

十五歳のとき、

「夏子、赤い洋服もう一生着ない」

と宣言して以来、きょうまで赤系統の布地を身に着けたことがない。そのときは誰か友達に、「あなた赤がちっともお似合にならないわね」と言われたのである。

こういう実例があり、昔から断乎《だんこ》として決心した事柄は、それをいい出す語調に一種の特色があるので、家人も、これが出ると聞き流すわけにはゆかない。

夏子には、いつも黙りがちで熱っぽいところがあった。どちらかというと南方系の顔である。祖父は紀州《きしゅう》の大きな材木商であったが、この国の人の顔には男にも女にも一種猛々《たけだけ》しい、ゆたかな日光を浴びて育った大柄な果実のような感じがある。目のあたたかい潤みだの、漆黒の髪だの、やや鄙《ひな》びた形のよく熟れた唇だの、女にしては強《きつ》いほどに鼻筋のとおった鼻だのに、暖流の影響を見る人は見るであろう。夏子の特色は、すこし腫《は》れぼったいその瞼《まぶた》で、それが目つきにいいしれぬ睡《ねむ》たげな色気を添えていた。

夏子は在学中から降るほどの申込をうけた。学校を出てのちは、夏子のまわりに男の姿を見ないときはなかった。彼女は男たちを昆虫学者のような目で観察した。兜虫《かぶとむし》のような男がある。きりぎりすのような青年がある。紋白蝶《もんしろちょう》のような学生がある。髪切虫のような会社員がある。蟋蟀《こおろぎ》のような色の黒い小男がある。夏子は男たちを分類し、何々類の何々目《もく》と陰では呼んだ。ある青年のごときは、思いあまってうっかり溜息《ためいき》を洩《も》らしたばかりに、その溜息が蠅の羽音に似ているうえに、のぞいてみえる金歯が二本あったので、とうとう金蠅にされてしまった。こんな仮借ない陰口とうらはらに、どの男とも半分恋人のようにつきあっている娘を見ると、気の小さい母親はぞっとした。

2

男たちにとって困ることは、夏子がたえて偏見というものをもっていないことであった。この天使は、赤十字の天使のように博愛主義を奉じていたのである。何かにつけて、「甲よりも乙のほうがいい」ということを決して言わない。あれもよし、これもよし、である。もちろん青年たちは自分一人の長所をみとめてもらいたくてあくせくしていたが、夏子は特別扱いを罪悪と心得ているように思われた。どの男をも半ば軽蔑《けいべつ》し、半ば尊敬し、半ば愛し、半ば嫌っていた。

彼女は人を愛することはできないが、その代りに仁慈の天分があるのだと、口惜《くや》しまぎれに言う男があった。それでも夏子の目の潤みや漆黒の髪を見れば、彼女のどこかに情熱家の血が眠っていることを疑うわけにはゆかなかった。夏子の情熱というやつは、誰もが信じているくせに誰一人見たことのないお化けみたいなものであった。

しかし夏子にしてみれば、落度《おちど》はみんな男のほうにあったのである。夏子の眠っている情熱は、よほど烈しい強力なものだったので、それと同じ烈しさ同じ強さをもった情熱としか共鳴しない性質をもっていた。どこの男の目にそんな情熱が見出されたろう！　パルプ会社に勤めている辰雄《たつお》の目のなかには、いつも昇給ののぞみと重役になる夢だけが燃えていた。大学の法学部の助手をしている凄《すご》い秀才だという雞一《けいいち》の目は、教授になりたいという野心だけでいっぱいだった。建築科の大学生の誠《まこと》が或る日もってきた思わせぶりな贈物は夏子をがっかりさせた。

「これ、何だかあててごらん」

と誠は百貨店の配り物の風呂敷《ふろしき》でふんわりと包んだ結び目に指をとおして、彼女の目の前で揺らしてみせた。笑うと黒い頰に笑窪《えくぼ》のできる単純な気持のよい青年である。口笛を吹いたり、指をポキポキ鳴らしたり、しじゅう何か音を立てていないと気がすまない。彼は製図用インキに染まった指で、起重機のようにゆっくりと風呂敷包を上下させた。

「いじわるね。チンチンでもしなければ見せてくれないの」

誠はおとなしく卓の上に風呂敷をひろげた。すると小さな美しい洋館の模型があらわれた。門と垣根は白いペンキで塗られ、これに万遍なく薔薇《ばら》の花がからませてある。庭は緑いろの油絵具をけば立たせた芝生で覆われ、サンルームにはふんだんにセロファンの硝子《ガラス》が使われている。赤い屋根、煉瓦《れんが》の門柱、煉瓦のポーチ、そして窓という窓にひらめいている花もようのカーテン、郊外らしい裏庭の杉並木、……日あたりのよい高台に建てられたように、このボール紙の洋館は、卓の上で思うさま電灯の光を浴びていた。芝生に落ちているその屋根の影をみていると、まるでそこにだけ、初夏のしずかなよく晴れた午後の時刻が休らっているように思われた。

「まあ、きれい。何の模型なの」

学生は赧《あか》くなった。半ば自分の言葉に酔わずには言えないような文句を言った。それは今日家を出る時から暗誦《あんしょう》して来た文句である。

「……君とね、いつか一緒に住む時の家を設計して見たんだよ。僕の生活の理想だよ。とても住み易くできてるんだ。耐震耐火で三四十年は十分保《も》つよ」

夏子はこれをきくと眉《まゆ》をひそめた。この青年もこんなことしか考えていないのか。夏子をこんな花で飾った美しい小さい牢屋《ろうや》へとじこめることが理想なのか。三四十年だって？　まあいやだ。三四十年住んで、天井板の節穴の数までおぼえてしまい、思い出の繭のなかにとじこもって一歩も外へ出ようとしない。時々二人で散歩に出る。静かな声で家計を語り合う。この青年は四十年たっても依然としてやさしい良人《おっと》だろう。ああ、たまらないことだ。

夏子はずいぶんひどいやり方で次々と申込をはねつけたが、はねつけられたからと云って、自殺の情熱を垣間《かいま》見せる男もなかった。一度こういうことがある。

三万台のナンバアの車を得意になって乗り廻《まわ》している青年があった。製薬会社の社長の父親が、二台買った中から一台を時々息子に貸してやったのである。或る夜、一緒に大森の友だちの家のパーティーへ行って、帰路は青年が家まで送ってくれる筈《はず》であった。ところが車は京浜《けいひん》国道へ出て、反対の方角へ走り出した。

夏子は助手台にいた。夜会服の肩にチンチラの半コートを掛けている。さっき彼女の手をとって乗せてやった証拠に、青年の紺の背広の腕にも、たんぽぽの絮《わた》のように、チンチラの毛がうっすらとついている。車は滑らかに横浜へむかって走った。夏子は方角がちがうと言おうかと思ったが、黙っていた。

「おどろかないの?」と青年が訊《き》いた。

「ううん」

「おどろいた?」

「ええ」

これですっかり気があるものと己惚《うぬぼ》れた青年は意気揚々とブザーを鳴らした。夏子はなお黙っていた。そのうちに手提からシガレットケースを出した。彼女はふだん煙草を吸わない。青年が不審に思って横目でうかがっていると、しなやかな指さきで二本とり出して二本とも口にくわえた。

『火をつけてくわえさせてくれるんだな』

彼はこう考えてにやにやした。夏子はライタアの火を点じた。煙草を吸う手つきの危なっかしさで、喫《の》み馴《な》れていないことがわかる。火がつくと両手に一本ずつ持って、二度三度かわるがわる吸った。火は赤みを増し、美しい色になった。

『じらしてるんだな。早く一本よこせと言ってみようか。それとも黙って手をのばしてとってやった方が洒落《しゃ》れているかしら』

青年がそう考えていると、夏子は両手の指に火のついた煙草をもったまま、彼の肩へ体をよりかからせた。香水の匂いがして、肩に深い温かさが触れた。

『おや、彼女、酔っているのかしらん』

夏子は腕を青年の頭に廻した。青年が気がついたときは、彼の左右の頰に煙草の火が近づいていた。

「あっ」

「車をまわしてね。さもないと、火傷《やけど》をなさるわよ」

右手で払えば、左の頰に火がつくにちがいない。左手で払えば、右の頰が火傷するであろう。両手で払えば……、車は歩道に乗り上げるだろう。この時刻の国道はまだ走っている車の数が多かった。

　青年は大きく迂回《うかい》して、今来た通を引返した。夏子は煙草をそれ以上吸わずに、灰落しの中へ投げ入れた。夏子の家まで、二人は無言であった。

　このお坊ちゃんの青年——名を研一《けんいち》と云ったが——を、夏子はそう嫌いではなかった。あの人にはどこか迫力があると彼女は思った。迫った眉や大きな手に、何かしら女の心の中へ泥濘《ぬかるみ》に踏み込む長靴のように無遠慮に踏み込んでくる力があった。その男が、煙草の火ぐらいで意気地なく意志を飜《ひるがえ》すとは！

　夏子は情熱らしいものを宿している男が一人もいないことに絶望した。せめて烈しい欲望でも宿しているのなら話がわかるが、一番見込のありそうだった研一でさえあのざまである。

　芸術家にはそういう男がいるかと思えば、画描きの青年はどれもこれも天才気取で、「芸術」という言葉をチューインガムのように濫用した。その上いわゆる芸術的野心という奴を、女の子の心を惹《ひ》くための装身具のように思っていた。文学青年はむさくろしくて彼女の生活範囲にはあらわれなかったが、彼女の知った若い音楽家はすこぶる気が変で、自宅で一人で食事をするときは、古典音楽のレコードの節に合わせてナイフで肉を切り、作品第一番第二番という作品番号で女を呼んでいた。あの女は変ロ長調さ、というのが品定めの符牒《ふちょう》であった。サラリーマンは退屈であり、何の話題もなかった。笑い話といえば、どこかの娯楽雑誌の剽窃《ひょうせつ》であった。そして要するに都会の青年はすっかり目の輝きを失っていた。

初夏の一日、夏子は或《あ》るレストランの二階から、友だちと一緒に人のゆききを眺め下ろしては品評していた。

どの男を見ても、また腕を組んでゆくどの恋人同士を見ても、夏子には彼らのおおよその行先がわかるような気がした。

「まるで袋小路の行列だわ」と夏子が言った。

「どうして？」

「だってあの中のどの男のあとについて行ってもすばらしい新らしい世界へ行ける道はふさがれていることがよくわかるもの。男の魅力ってそれ以外に何があって？ただ黙ってついてゆけば、今まで想像もしなかった新らしい世界へつれて行ってくれるという魅力以外に。あれをごらんなさい」

夏子は白いレエスの手袋で、会社員風の数人の青年を指さした。

「あの人たちは袋小路の代表よ。あとからゆく派手なスポーツシャツを着たのは？」

「あれが有名なN・Yだわ。新らしくてめずらしい絵を描くので、このごろでは、フライパンの中に飛行場があるような絵を描いても誰も当り前だと思うようになったのよ」

「あの人のあとについて行っても、せいぜいがフランス行で、パリの安下宿住いが味わえる程度でしょう。それが、そんなにすばらしいことかしら。いずれお茶漬がたべたくなって、日本へかえって、今度は洋間が一つもない家に住んで余生を送ることでしょう。俗な名声やお弟子たちに囲まれて、やっぱり袋小路にはちがいないわ」

夏子は一人一人の男のあとについて行く自分を想像しても一向にぴんと来なかった。世話女房になって襷《たすき》をかけて長火鉢につやぶきんをかけている姿や、派手な社交婦人になって夜会を主宰している姿が、いろいろと想像されたものの、それらはどうしようもないほど退屈な空想であった。

『ああ、誰のあとをついて行っても、愛のために命を賭《か》けたり、死の危険を冒したりすることはないんだわ。男の人たちは二言目には時代がわるいの社会がわるいのとこぼしているけれど、自分の目のなかに情熱をもたないことが、いちばん悪いことだとは気づいていない。……』

夏子はこうして或る朝のこと、突如として修道院入りを宣言したが、それには永い思慮が費やされ、いくら探しても望む男はいない以上、神に仕えて浮世と絶縁して暮そうという、まことに勇敢な結論に到達したものであった。

修道院。……そこだけは多分袋小路ではない。

3

夏子は学校でマザーやシスターの話をきくにつけ、久しく函館《はこだて》のトラピスト修道院、厳律なるシトオ修女たちの住む天使園修道院に憧《あこが》れていた。そこでは会話は禁じられている由だったが、彼女は黙っていることは平気だった。男はいないが、男なんか見倦《みあ》きていた。そしてこのいっぱしの男性通の体の清浄は疑う余地がなかった。

彼女が修道院へ入ろうとした発心に、論理的なものを求めてはならない。大体夏子の年ごろには論理的な行動なんかあるものではない。発心はまるで詩人の霊感のように彼女を襲ったのであった。たとえば隣りの奥さんの着物の柄がいいから、乃至《ないし》は衣裳《いしよう》持ちすぎるから、もう着物は着ないと決心した女のように、彼女も、一度こう決めたら、それを分析して考え直すことよりも、それを異常な執着にまで育て上げてしまうたちだった。

……そこでそう言い出した夏子のまわりには、しばらく家族の沈黙があった。食卓にさし入る旭《あさひ》の光線がしずかに上る味噌汁《みそしる》の湯気を目立たせていた。

「そりゃいかん」と父が言った。

「そりゃいけないわ」と母が言った。

「とんだことを」と未亡人の伯母《おば》の逸子《いっこ》が言った。

「おおいやだ、桑原桑原」と祖母が言った。

みんなは一言ずつ呟《つぶや》いたが、また夏子の顔をさしのぞくと何の反響もないので黙ってしまった。

さからうとますます固執する夏子の性質をよく知っているので、一家はそれ以後この問題には一切口をふれないようにつとめ、父親は何が原因かといろいろ考えたあげく、応接間のアルバムにあるスイスの修道院の二三枚の絵葉書を剝《は》がしてしまった。そんなことは何にもならない。夏子は黙ったまま着々準備をすすめ、友だちにやるものは今からやってしまった。一人の親友はサファイヤを鏤《ちりば》めた耳環《みみわ》とブローチの一揃をもらって大よろこびをした。

もともと夏子の父はカトリック信者であった。この謹厳な実業家は、日曜の朝一家そろって教会へゆくのを生活のたのしみにしていたが、いつも行くのを渋りがちな夏子が修道院へ入ると云い出したのが解せなかった。彼は教会に寄附をして、なるたけ悲しい目に会いませんように、お金が儲《もう》かりますようにと祈った。もし娘が修道院へ入るようなことになると、寄附と娘の二重取りをされたような気がすることであろう。

　天使園修道院の入会の条件は、カトリック信者であること、父母及び教会側の承諾あること、品行方正なること、扶助すべき家族の係累なきこと、ということになっている。教会の承諾は学校側で骨を折ってくれる。夏子が得ねばならないのは父母の許諾であった。彼女は修道院へ入れなければ自殺をするとおどかして、致死量にいたらぬ分量の睡眠剤を嚥《の》んで二晩寝つづけ、一家を神経衰弱に陥れた。学校へ相談に行った父親が、入会後も六ヶ月の志願期のあいだは、帰りたければいつでも脱退できるときいて、この手に負えない娘が一度こっぴどく懲りて来る結果を恃《たの》んで、今度は逆に夏子の入会に乗気になった。

　許可が下りたのが六月の下旬である。夏子は梅雨明けと同時に函館へ立つ手筈《てはず》を整えた。お供には祖母と伯母と母の三人がつき従い、函館近郊の修道院まで夏子を見送ることになった。

　梅雨明けの上野駅の夜のホームに、時ならぬ派手な見送りが、ほかの旅客の目を一等寝台車の入口のほうへ注がせた。映画女優にしてはフラッシュも焚《た》かれず、高貴の御方にしては見送りの連中が若すぎた。女の子たちはわれがちに窓から花やお菓子を投げ込み、男の子たちは、夏子のまわりに固まって、あまり喋《しゃべ》らずに、じっとこの風変りな処女の旅立ちの姿をみつめていた。汗がその頬にしたたるのも拭《ぬぐ》わずに、彼らは、夏子のわざと地味に誂《あつら》えた白い夏のスーツの姿を、誰も手をふれたものがないうちに売約済になってしまったピカピカした舶来の空気銃を、硝子窓《ガラスまど》に鼻をおしつけて見ている悪童のような一心な目つきで眺めていた。そういえば今までも誰一人、鼻にぶつかるこの硝子板を意識することなく彼女を見ることのできた男はなかったのだ。

学校の下級生のあいだでは、今度のことで夏子はすでに英雄だった。彼女は白い百合《ゆり》の花束を胸いっぱいに捧《ささ》げられ、それには白いリボンで茎に結えたカードがついていて、

『汚れなき百合の花によそえて
　天使の園の歌姫になられる夏子様へ』

と書いてあった。夏子は歌隊修女を志願していたからである。

祖母はあまりのさわぎに耳に綿を詰めて客席に引込んでいたが、その手は何度も夏子の靴下を編みまちがえて辷《すべ》っていた。北海道は夏でも寒いものと決めているので、彼女は息子からラクダの上下のシャツを借りて着込んでいた。扇子を出しては、ラクダのシャツと肌のあいだに風を送った。

「おお暑い、暑熱地獄とはこのこった」

「だって厚着をなさるからいけないのよ」

「かえりはまた涙の行水で寒くなるでしょうよ」

「おばあさまったら、泣くのがたのしみで函館までいらっしゃるようだ」

「涙が出てる時は、ああまだ生きてるなという感じがするからですよ」

祖母は扇子を畳んで、急に頸筋《くびすじ》へつっこんでかきまわした。ラクダのシャツが汗ばんで背中が痒《かゆ》くなったのである。

母は夏子のそばに立って、みんなに挨拶《あいさつ》しながら、万遍なく、お嬢さんたちの洋服や持物をほめていた。彼女は「趣味のよいおばさま」でとおっていたからである。忙しい良人《おっと》は姿を見せていなかった。万一現われるかと思って初めは何度も首をのばしたが、一度来ないと云った以上来るような人ではない。

夏子は母に誘われて、ふと、タラップの上に立って、見送り人たちのむこうのホームの暗い空間を眺めた。そこを片手に古いトランクを下げ、肩に革のサックに入れた猟銃を背負った一人の青年が通った。彼は立止ってタラップの白いスーツの少女を呆《あき》れたように眺めた。そのとき何かの加減で彼の髪がほぐれたようにその額に垂れた。

夏子はその目を見た。こんなに遠くから見たのに、青年の目のかがやきははっきりと見てとれた。彼女は思わず口のなかで、

『ああ、あれだわ』と叫んだ。

第二章　これぞ情熱の証《あか》し

1

夏子は昔から寝つきのよいたちである。寝台車は蒸暑かったが、七時すぎまでぐっすり眠った。寝台番号の1から4までを一行が占めていた。むこうの下段からはお祖母様《ばあさま》のいびきがきこえ、そのいびきにはいつも家中が弱らせられる十八番のお謡いの調子があった。あんまり厚着で寝たので、うなされているとみえて、カーテンの下から白いしなびた小さな足がのぞいていた。その足が宙を足さぐりして、又カーテンの中へはずかしそうに引込んでゆくさまを、向う二階の寝台のカーテンの隙間から見下ろしながら、夏子はくすりと笑った。まだ枕から頭をあげようとはしない。彼女はほてった、だるい双の腕を頭にまわした。修道院……。あそこには何もないことがわかっている。その何もないところへ、他の人たちは心の平和を求めに行くのであるが、夏子はそうではない。却《かえ》って何もないというそのことが、新鮮で、刺戟《しげき》にみち、冒険的なことに思われる。一度行ったら引返せないということはすばらしい冒険だ。危なくなりかけるといつも容易《たやす》く引返すことができた子供らしい色事はもう沢山だ。まだ多分に少女らしい誇大妄想にとらわれている彼女は、自分がどの男の持物にもならずに修道院へ入ってしまうことは、世間の男たちへの手きびしい反逆にも復讐《ふくしゅう》にもなると考えた。

夏子は朝お床の中で、枕もとの手鏡を顔の前へもって来て、何ということもない会話をするのが好きである。

「もうおめざめ？」と鏡の中の彼女が言う。

「起きたことよ」

「今日は何か素晴らしいことがありますよ」

「そう、たのしみだわ。どんなこと？」

「それは言えない」

「では夜寝る前に又会いましょうね」

夜、鏡台の前で、

「あなたは私を裏切ったわ。何も素晴らしいことなんかなかったわ」

「Yという青年はどうだった？」

「だめだめ、あんなひょうろく玉」

「あの人を愛することができれば、あなたも幸福になれるのにねえ」

修道院へ入ればこんなうんざりする習慣もなくなるだろう。もう素晴らしいことなんか決して起きない毎日、そう決った日が夏子には素晴らしい朝のような気がする。

話にきく歌隊修女の夏の日課は、朝の二時からはじまるのである。黒い被布《かずき》、白のスカプラリオ（これは一種の上っぱりである）、白い胸まわり、祈りの時にはその上に着るゆるいマント型の純白のクルウ。そのスカプラリオは聖母の御召物であって、それを着ていれば聖母のみもとへ行けるのである。

鈴蘭の丘のかたわら、高い石塀に囲まれた修道院の二階の寝室に、午前二時の起床の鐘が鳴りわたる。聖母小聖務の早課、二時半の黙禱《もくとう》、三時のお告げの祈、四時二十分の聖体拝領のミサ、夜のしらじらあけにやっと朝食だ。朝食は野菜入りの御飯かパン、漬物、ときどき牛乳が出るくらいのものだという。これでは肥る心配もなさそうである。

この肉体がいずれ空気のようになる、魂だけになる、しずかに漂う薔薇《ばら》の薫りのようなものだけになる。夏子は石竹いろの寝間着の上からシュミーズの胸にさわってみた。寝台車の低い天井にこもる暑さのために、乳房はかすかに汗ばんで、熱かった。これが透明な空気になってしまう。そう思うと、彼女には自分の体が、どんな男よりも力強いしかもやさしい無限の力で徐々にしめつけられてゆくような酔い心地が想像された。ちょうどレモンが清浄な硝子《ガラス》の圧搾器の上で搾られてゆくように。

学校で或《あ》るシスターからきいた話を思い出した。函館の修道院を建てられた修女の一人、のちに聖ベルクマンスの名で呼ばれた方は、おのが傲慢《ごうまん》をこらしめるために、木靴《サボ》の中に七つの小石を入れておられた。聖ベルクマンスは菫《すみれ》を愛した聖テレジヤを尊敬し、日頃聖テレジヤの徳に倣おうとしておられたが、死期迫るや菫の香りが院内に漂った。掃除をしていた助修女がそれに気づいた。菫の季節にはまだ一ト月ほど早い。おどろいて香りをたずねると、それは臨終の聖ベルクマンスの病室から漂ってくるのであった。

2

「夏ちゃん、もう起きていて？」

と下の寝台から母が呼んだ。

「ええ、もうとっくに」

「よく眠れて」

「ええ、ぐっすり眠ってよ」

「あんたは気丈夫ね。男の子だったら、兵隊へ行く前の晩でも高いびきで眠れるような子だわ」

「あたくしはいびきをかいたかしら？」

と向いの下段の寝台のカーテンから首を出した祖母がそう言った。ふだんは一人の部屋で寝るが、旅などでみんなと寝るときは、翌朝こう訊《たず》ねることを祖母は忘れない。

「いいえ、ちっとも」

そう答えると御機嫌がよいのである。

「そうでしょうね。十九でお嫁に来てお姑《しゅうと》さんに叱られて以来、いびきをかいたことがないのがあたくしの自慢でね。何でも心がけ次第ですよ」

そのときすでに洗面に行っていた伯母《おば》が、真赤な目をして、いまだに頑固に結っている二百三高地の髪にきれいに櫛《くし》を入れて、現われた。

「おはよう。雨だね。青森へ着くまでに晴れるといいわね」

やがて給仕が寝台を畳みに来た。上段は天井へ畳み込まれ、下段は向い合わせの椅子になり、細いテェブルが繰り出された。連絡船旅客名簿が配られた。

「松浦《まつうら》夏子、二十歳」

「松浦光子《みつこ》、四十五歳」

「松浦かよ、六十七歳」

「近藤逸子、五十五歳」

「かえりもこれを書くんでしょ」と伯母が言った。

「そのときはこの中から、夏ちゃんの名前だけ抜けているわけね」

　こう言うと伯母は急に泣き出して、四角に折り畳んだハンカチを、手品師の旗のように威勢よくひろげて顔を覆ったので、みんなが慰めた。祖母も母もこういう文句をきくと、さすがに目頭がうるんでくる。夏子の修道院入りは一種のおままごとであり、自分たちはそのお守りをしているのだと確信しているが、万が一修道院が気に入って一生とじこもる気にでもなられたら、取返しがつかなかった。夏子はけろりとして、むしろ少なからずいい気持で、魔法罎《まほうびん》から注がれたコーヒーを呑《の》んでいた。少しも感傷的な心境になっていないのが得意だったのである。

　浅虫《あさむし》ちかくへ来ると、雨がいつのまにか上っていた。海の朝靄《あさもや》のなかに、左右から伸びた岬がほのぼのと見えた。沖の島を眺めていた夏子が、さわやかな叫びをあげた。

「まあ、虹《にじ》だわ」

　皆が車窓に顔を寄せた。それは稀薄《きはく》な虹である。言われるまではわからなかったが、そう思ってみると、島の頂から煙った沖のどこともしれぬ場所へ架けられた虹の橋があった。

このとき夏子は、突然ゆうべ見た夢を思い出して頰を赤らめた。駅頭で垣間《かいま》見たあの猟銃を荷《にな》った青年が、寝台をまちがえて彼女の寝台へよじのぼって来る夢を見たのである。

3

九時すぎに連絡船は一行を乗せて青森を出帆した。海風は涼しかった。祖母と伯母は船室にこもってしまった。港の緑いろのペンキ塗りの事務所が遠ざかる。夏子は母と並んで甲板の欄干に凭《もた》れていた。

「お母さまと別れるの辛《つら》くない？」

「そうね、ちょっとは辛いわ」

「夏ちゃんには負けた。こんな育てがいのない子ってあるかしら」

「夏子ね」と彼女は友だちが餞別《せんべつ》にくれた扇を、黙って考えているあいだの手持無沙汰《ぶさた》に、暑くもないのにひらいてあおいでいたが、海風が、扇面を押したおすほど強いので、彼女はやむなく扇をとじて、それで欄干を叩《たた》きながら、

「お母様はおわかりにならないけど、ちっとも我儘《わがまま》や不真面目な気持じゃないの

「それはよくわかっていてよ」

と母親はこわれ物にさわるように言った。夏子が更に言う。

「こんな望みが叶《かな》えられるのがふしぎでたまらないんで、悲しい気持も起きないの。今になってみると、どうしてお父さまが夏子をブったり監禁したりなさらなかったか、ふしぎだわ」

「そうすれば思い止《とど》まったの？　そうしてもらったほうがよかったの？」

「ううん」と夏子は不透明な返事をした。

「でもね、もう一つ何か障害が起きなかったことがふしぎなの。あんまり今まで人生が滑らかだったんで、それで一層、何もかも嘘のような気がするの」

母親はこんな娘らしくない議論には飽き飽きしていたので、祖母や伯母の様子を見に船室へかえった。夏子はひろいロビーを歩いた。事務長が挨拶《あいさつ》してすぎた。黄いろい夏の洋服を着て、北海道旅行へゆく贅沢《ぜいたく》なお嬢さんと思ったのであろう。誰にも夏子の気持はわからない。よくそういう一生があるものだ。『あんなへんな男と結婚するなんて、A子さんの気持はわからない。……もう十年たった。まだ別れ話ももちあがらない。まったくA子さんの気持はわからない。……もう廿年《にじゅうねん》たった。A子さんは床の間の置物だそうだ。それで彼女は結構朗らかだ。あの気持はわからない。……卅《さんじゆう》年たった。A子さんは死んだ……』

夏子は階段を下りて下の遊歩甲板をゆっくり歩いた。帽子のあご紐《ひも》をかけた団体の中学生が鬼ごっこをやっていた。一人が夏子にぶつかりかかって、顔を見上げて、その美しさに目を見はった。遊歩甲板の天井に波の光りが波紋をゆらしている。彼女は立ちすくんだ。きのうの青年を見たのである。

夏子は息を詰めてその姿を見戍《みまも》った。銃は船室に置いてきたものと見えて、もっていない。ごく普通のズボンに、ただの白いYシャツを着ている。それ以外に何の飾りもなく何の特徴もない。顔立にとりたてて目をひくところがあるのでもない。しかし彼の横顔に投げた一瞥《いちべつ》で、夏子はそれがきのうの晩の青年であることをさとった。

海をじっと見詰めているその目の輝きだけは、決してざらにあるものではなかった。その目は暗い、どす黒い、森の獣のような光を帯びていた。よく輝く目であったが、通り一遍の輝きではない。深い混沌《こんとん》の奥から射し出て来るような、何か途方もない大きなものを持て余しているような、とにかく異様に美しい瞳《ひとみ》であった。午前の海峡の明るい光りを見つめているようで、その実もっと向うの定かならぬ影を追っているような深い瞳である。夏子は感動した。今までどの青年の目にもこれだけの感動を見出《みいだ》したことはない。都会の若者たちの、軽薄な、実のない、空虚な目、女蕩《おんなたら》しぶった冷たい目、子供っぽい兎のような目、……誰一人としてこれだけの目の持主はいなかった。

この目こそは情熱の証《あか》しである。

第三章　美しい浮世の一日

1

　夏子はその横顔を見ているうちに、胸のなかが固く貼りついてしまったような息苦しさをおぼえた。話したいと思う。救われたいと思う。自分で選んだ道であるのに、女心はどこかに救い手を求めていたことが今、はっきりとわかる。夏子は扇をひらいて苦しげにあおいだ。白檀《びゃくだん》の骨に白地に群なす蝶《ちょう》をえがいた華麗な扇子である。そのとき海風が、半ば力を失った夏子の指から、扇を強引に奪い去った。扇は空中で燕《つばめ》のように一瞬ひるがえった。青年が口の中で叫んで、腕をのばした。スポーツマンらしい眩《まば》ゆい速度である。しかし間に合う筈《はず》がない。二人は何故か済まなそうな顔を見合わせた。

「やあ、惜しいことをしましたね」

　青年がそう言った。夏子は扇のことなど忘れてしまった。早くも扇は波間をゆるやかに遠ざかった。

「お餞別の扇子なのよ」

と夏子が言った。

「ほう……どちらへ」

「トラピスト修道院へ」

「修道院へ入られるんですか？」

青年は奇妙な鳥でも眺めるように、夏子を見た。

「ええ」

——夏子は平然と答えた。

「あなたは狩に？」

「狩って……」と青年は口ごもった。「どうして御存知なんです」

「だってゆうべ猟銃をもっていらしたわ」

「たしかにもっていましたが、どこでお目にかかったかなあ」

「フシギでしょう」

「でも、あなたが修道院へお入りになるほうがもっとふしぎだ」

「今晩湯の川へ泊って、あした一日は函館をお名残に見物して、あさっての朝、入りますの」

「あさっての朝……、修道院へ入ったらもう出られないのでしょうね」

「ええ、一応ね」

青年は黙ってしまった。彼はからかわれているのかと思ったらしく、ふと微笑をうかべて夏子のほうを見ようとした。しかしそうせぬうちに真実をさとったように、また目を転じて黙ってしまった。

夏子はこの時ほど自分のまだようやく花咲きかけた肉体を自らいとおしみ、それを男の前に誇りたいとねがったことはなかった。青年はしかし夏子を見なかった。船がかきわけている海の白い泡立ちをじっと見下ろしながら、こう言った。

「僕、井田毅《いだつよし》といいます。名刺は忘れましたが」

――彼は不器用にズボンのポケットを上から撫《な》でた。

「明日一日、僕も函館でぶらぶらしています。御縁があったらお目にかかれますね。お宿は?」

「湯の川の若菜屋というの」

「僕は、市中の、栄町の北栄館という小さな宿です」

二人はそれ以上何かを言うと、誘いをかけた形になるので、前のように黙ったまま海をみつめだした。夏子の母が目を吊《つ》り上げて甲板をいそぎ足で、口の中で「夏ちゃん、夏ちゃん」と呟《つぶや》きながらやって来た。

「まあ、こんなところにいたの、いやな人」

夏子と青年との間にはやや距離があったので、母親の目には夏子一人しか映らなかった。

「何をしているのよ、こんなところに一人で。あなたが飛込みをやったんじゃないかと思って、本当に気が気じゃない。今、船室でお話している最中に、伯母《おば》さまが急に椅子から立上って、『あ！　夏子はどうしたろう』と仰言《おっしゃ》ったものだからね」

2

夏子と毅は下船まで会う機会がなかった。午後二時ちかく、連絡船は函館港に入った。山腹の立体的な市街と、美しい緑がだんだん詳細に目に映り出した。港内はほかに船らしい船もなく、忙しげに小さなランチや伝馬船《てんません》が動きまわっているだけである。一行は桟橋から自動車をやとって、郊外の湯の川温泉へ直行した。

「まあ、暑いこと。こりゃあふしぎだ」

祖母は真綿をとってもまだ暑いので、やりかけの編物も、船内でトランクへしまってしまった。その晩は旅の疲れのために、沖の漁火《いさりび》が一連の頭飾のように眺められる海ぞいの宿の一室で、一行ははやばやと眠りについた。深夜にお祖母様《ばあさま》のいびきに目をさましたが、それさえ疲れ果てた眠りを永く妨げることはできなかった。

翌朝は四人そろって、大きなローマ風呂《ぶろ》に入ったが、その豊かな透明な湯の中に並んだ四人のなかで、当然のことながら、夏子一人がまばゆく引立った。その肌のかがやきは半ば湯の中に融けて、水の光りと見分けがつかない。

「もうこんなにゆっくりお風呂に入ることはできないのよ」

と母がいうと、伯母がまたためそめそ泣き出した。お名残に夏子ちゃんのお背中を流してあげたい、と涙ながらに伯母が言った。夏子は湯の溢《あふ》れこぼれるタイルの上で、祖母と母と伯母の三人に愛撫《あいぶ》された。骨だらけの祖母は、肩胛骨《けんこうこつ》のあいだにお湯を入れるとお湯が溜《たま》っているくらいだったが、彼女は体中で只《ただ》一ヶ所肉ののこっているお腹を夏子の背にすりつけて、夏子の髪にいとしげに触れた。

「おお、いいお髪《ぐし》だ。勿体《もったい》ないよ。もっともカトリックの尼さんは仏教の尼さんとちがって剃髪《ていはつ》をしないのがめっけもんだ」

「おお、かわいい、あんよのお指」と伯母が夏子の足指のあいだあいだに、石鹸《せっけん》の泡をすりこみながら、鼻をすすりすすりこう言った。

「この子が生れたときを思い出すわ。丁度お庭にさるすべりが咲いていた。夏だった。夏子なんてほんとにいい名だ。私だってこんなにきれいな指をもっていたら、却《かえ》って処女のままで終りたくなったかもしれないわ」

他の浴客がきいていて笑い出した。夏子をのぞく三人の老年と中年の裸女が、一せいにその笑いのほうをふりむいたので、笑った浴客は気圧《けお》されて黙ってしまった。

3

朝食がすむと、夏子は急に鏡台にむかい、長い念入りなお化粧をはじめた。祖母も伯母も母も黙って見ている。何か夏子の心の中に変化がおこったことが看取できる。しかしそれが何であるかわからない。

夏子は黙って立つとスーツケースから新らしい洋服をとり出した。真白なシャークスキンのスーツである。その下には派手なスコットランド縞《じま》のブラウスを着た。祖母も伯母も母も黙って呆《あき》れて眺めている。どこへ行くの、ときいても無駄なような態度である。

「一寸《ちよつと》、一人で出かけたくなったの。夕方までにかえるわ。絶対に御心配なく」

我儘《わがまま》娘はそれだけ言うと、さっさと宿を出てしまった。栄町という町名は、ゆうべ宿の娯楽室の地図で見てしらべてある。彼女は午前の夏の日光の下を、市電の起点までのびのびと歩いた。現世の、浮世の足取は、今日が最後だと考えながら。

北栄館はすぐ見つかった。古ぼけた閑散な宿屋である。井田の名をよぶと、白いYシャツ姿の彼が、ばか大《でか》い柱時計のかけてある暗い廊下の奥から足早に現われた。

廊下の板が爽快《そうかい》に鳴った。

「やあ」

彼は自分の目を疑うように、顔をさし出した。それだけで、訊《たず》ねて来た理由をきくでもない。大ざっぱに身を動かして、自分で下駄箱から靴を出すと、そのまま眩《まば》ゆい戸外へ出てしまった。一向愕《おど》ろいた様子もみせない。却って夏子のほうが弁解がましく言った。

「今日はね、あたくしが浮世にいる最後の日なの」

「浮世は、今日はすばらしい天気だな」

彼は空を仰ぎ、大きなくしゃみをした。

「函館山へ散歩に行きましょうか。あそこの眺めはいいですよ。たしか修道院も見える筈《はず》です」

すぐそこへ散歩に行く調子であったが、詳しくきくと、山頂までは三十分あまりの登りであった。二人は、広闊《こうかつ》なコンクリート道路の潮見坂を上り、潮見ヶ丘神社の緑濃い境内をぬけた。すでにそのあたりから、ふりかえると港が絵のようにみえた。

『この人は何も言わないでも通じる人だ』と夏子は思った。『説明も、筋道も、理由も、弁解も要らない人だ。浮世の最後の一日はすばらしい一日になりそうだわ』

登り坂は鬱蒼《うっそう》たる松林の間を通っていた。蟬がしんみりと鳴いていた。一合目をややすぎたところに、暗い涼しげな洞窟《どうくつ》があった。

「あそこでねえ」と青年は面白そうに、

「去年の夏、アベックの一組が、中へ入って行って腰かけたとたんに、お尻《しり》がひんやりしたんであわてて警察に届けたんですって、そこでお巡りがやって来て掘ってみたら、大砲の弾丸が九十いくつも出て来たそうですよ。戦争中はここは要塞《ようさい》だったんですね」

「北海道へは何度もいらしたの」

「ええ」

「猟に？」

「ええ」

青年は、猟という言葉をきく時、眉間《みけん》にかすかな皺《しわ》を刻んだ。夏子は子供のような好奇心から、その皺をもっと深めたいと思って訊ねた。

「何をお捕りになるの」

「何を捕るって、捕るのが目的じゃないんです。僕はね」――青年は少し皮肉がかったロマンチックな口調で言った。

「仇《かたき》をつけ狙っているんです」

第四章　函館山の頂にて

1

「僕はね、仇をつけ狙っているんです」

青年のこの大時代な言葉には、夏子の心をそそる響があった。

『やっぱり私の目にはまちがいがなかった』

と彼女は思った。この人は世間でいちばん無駄事と思われていることを堂々とやりとおせる人だ。世間でいちばん馬鹿にされている感情に身を捧《ささ》げることのできる人だ。

しかし青年の断言には何かそれ以上立入らせないものがあったので、夏子は口をつぐんだ。

平日なので函館山へのぼる人は大そう少ない。頂上に着くまで会った人の数は十人を超えない。その十人のうち三人は、いとものんびりと、一丁毎に佇《たたず》んでいる路ばたの石地蔵に合掌しながら登ってゆくおばあさん連中である。夏子と毅はたちまちこれを追い越した。あとの七人はすでに歌をうたいながら下りてくる学生風の男女である。かれらが道の曲り角からあらわれたとき、その白い運動靴の多くの足は、急坂を駈《か》け下りてくるために、空を跳びはねて来るようにみえた。

眺望がひろがって山頂が目のまえにあらわれた。そこまではまだ道が幾めぐりかしているらしい。頂きは風が強いとみえて、裸の岩に生えた夏草がひれ伏していた。

二人は頂上よりもやや低い見晴らし台で汗を拭《ふ》いた。そこの茶店は案の定休んでいたので、中腹の茶店で買ったサイダーが役に立った。そこからは左右を海に蝕《むしば》まれたほそながい函館市街が一望の下に見渡され、市の中央をつらぬく緑地帯《グリーン・ベルト》や、教会や、その花の咲いている庭や、水源地や、市民球場がくっきりと見えた。街のいろんな音がまざり合って音楽のようにきこえる。丁度音楽会の廊下にいると、ドアごしにきこえてくる交響楽のような具合である。函館ドックのトンカチの音、汽笛、時折わきおこる市民球場の喚声、意外なほど際立ってきこえる中心街の自動車のクラクション……。

「あれを御覧なさい」

と青年が街の彼方《かなた》を指さした。

「町のむこうはずーっと凸凹の地平線です。あれが横津《よこつ》連峰で、北から西へ走っています。北の端にぼんやり白い煙を上げているのが駒ヶ岳《こまがたけ》です。東の端の海へ永くのびている先端が恵山岬《えさん》です。岬のずっと手前に、あなたの泊っている湯の川の町が見えますよ」

「どこ？」

と夏子が寄り添った。それはまるで彼の体に融け込んでくるような柔らかでいて大胆な接近である。青年は香水が汗ばんだ肌のかすかな匂いとまじって放つ午後の花のような熱っぽい匂いをかいだ。彼はぎこちなく自分の肩を夏子の目にあてがうと、

「ほら、僕の腕に沿うてまっすぐのところ、あそこです」

と言った。その腕はすこし上へうごいて、今しがた雲の影が半ば落ちている山腹の白いきらきらした点々をさした。

「湯の川の上のほうの、あの白い点が見えますか」

「ええ、見えるわ」

二人とも若い鋭敏な視力をもっていた。

「あれがあなたの行く天使園修道院の建物ですよ」

折柄その遠い山脈の空にも、恵山岬のはての海上にも、夏の午前のつつましやかな雲が棚引いていた。その光沢のある雲は天使のように夢み、もう一歩《ひとあし》で地上に近づくのに、わずかのところでのびやかに横たわって、まどろんでいるようにみえた。

「あそこで死ぬまで暮すわけね」

　夏子はそこが今、自分の肉体とはるかに遠い距離に在ることに、何か生理的な安心のようなものを感じた。もし自分の存在が魂だけになってしまえば、ここからあそこまで飛んでゆくこともできるだろうに、あの修道院との間に今しっかりした現実の距離を、港を抱いた市街や緑に包まれた函館山の山腹などが保っていてくれるというこの安心感！……

「あそこから、あたくし、何度も函館山を見て、今日のことを思い出すでしょうね」

「今からそんなにセンチになっていて、修道院へ入れますかね」

　夏子は答えなかった。夏草のずいを抜き出して、それを口で嚙《か》みながら、やがて訊《き》いた。

「ねえ、あなたの仇ってだあれ？」

　青年は悪戯《いたずら》そうに微笑した。

「きいたらびっくりしますよ。というより、それをきいたら幻滅だろうな」

「話して下さらない。あたくし明日はもうこの世界の人ではないんですもの。どんな秘密だって洩《も》れるわけがございませんわ」

「そう、話してもいいいな」

「仇の名前を教えて」

「あててごらんなさい」

夏子は眉《まゆ》をひそめた。この青年がこんな軽薄な物言いをするのは似合わない。

「おっしゃってよ」

「名前があるといいんですがね。そいつがわからないんです。相手が人間だといいんですがね」

「人間じゃないの？」

夏子ははげしい風に汗の乾き切った肌に戦慄《せんりつ》を感じた。

「熊ですよ」

「なあんだ」

「でもただの熊じゃないんだ」

夏子は立上って歩き出した。青年も、眩《まぶ》しそうに午《ひる》ちかい太陽を見上げてから歩き出した。

「どうしたんです。熊でがっかりしたんですか」

「いいえ」

彼女はぼんやりと答えたが、毅の目のかがやきをたった一匹の熊と結びつけて考えるには、比重がちがいすぎた。その間には何か物語がなければならない。……

熊！　熊！　彼女が憧《あこが》れていた「情熱」が、事もあろうに熊の形をしていたとは！

2

海抜三百五十米の頂上の眺めはさながらパノラマで、津軽《つがる》半島、渡島《おしま》半島、下北《しもきた》半島の三つの半島を、津軽海峡をはさんで一望の下に収めることができる。海は静かで、光りが飽和状態に達したほど、すべての景色が明るくて睡気《ねむけ》をもよおす。頭上を吹きまくっている烈しい風がなかったら、自分があまり際限のない夏の光りの中に融けてしまうような気がしたことであろう。

「風がひどいな。要塞《ようさい》の中へ下りましょう」

と青年が言った。風化した石段を、夏子の腕をとって降りた。

頂上全体が戦争中の砲台の跡であった。それはちょっとしたポンペイの廃墟《はいきょ》で、アーケードになっている煉瓦《れんが》造の火薬庫も、風化した石の隙間からたえず水滴をおとしていた。二人はいつのまにか手をつないで、草むした壕内を歩き、トンネルをくぐった。

トンネルの壁に、おそらく停泊中にここまで遊びに来たのであろう船員たちの落書が大書してある。

「大慶丸乗組三名」

「第五永福丸」

船乗りがどこへでも自分たちの船の名を書きつけておきたい気持がわかる、と夏子は思った。この船の名の落書は、いずれアメリカの名所の木柵《もくさく》の裏にも読まれるだろう。今この乗組員たちはどこの海にいるであろう……。

二人はトンネルをぬけて、丁度からっぽのプールのような、まわりをコンクリートに囲まれた明るいまっ四角な場所へ出た。日が真上に来かかっているので、このプールには日光の水が満々とあふれている。

「どこへ腰かけよう」

「あそこがいいわ」

草むした石段のひとつを夏子が指さした。青年が手巾《ハンカチ》をひろげて、夏子のためにその下から二段目に敷いた。さっき汗を拭いた手巾とはちがう真白な大きな折目正しい手巾をちゃんと用意している青年の清潔さに、夏子はまた一つ快い発見をしたような気がしながら、

「勿体《もったい》ないわ。玉座へ坐《すわ》るようね」

と言った。そして少しふざけて、気取った様子でスカートをつまみあげながら、坐った。青年は下段に腰かけると、すっと両肱《りょうひじ》をのばして、夏子の腰かけている段

に肱をついた。

「さっきのお話のつづきをどうぞ」

「話しますよ。誰にも話さなかった話だけれど、あなたはどうせもう半分尼さんだから、ざんげをきくつもりできいて下さい」

夏子は毅の肩に手をかけて、

「まだ尼さんなんて仰言《おつしや》っちゃいや」

とひどく不服そうにたしなめた。

「一昨年の秋、僕はまだ学生でした」

と青年は語りだした。

第五章　恋に陥ちぬこそ不思議

1

……一昨年の秋、僕はまだ学生でした。

僕の父はちょっとした実業家で、戦前から十ばかりの会社に関係していましたが、自分では倉庫会社を経営して、それに力を入れていました。父はしかし決して僕に贅沢《ぜいたく》をさせず、僕と、戦死した兄との二人の息子を、できるかぎり質実剛健に育てようとしていました。学校もなるべく野性的な（ということはあの当時ではつまり軍国主義的なということですが）学校に入れ、僕は山岳部と剣道部のかなり熱心な部員でした。

父のゆるしてくれる唯一の贅沢といえば、父の道楽である狩猟の旅に僕たちをつれて行ってくれることでした。それも学生だからというので、つれてゆく父までが三等以外には決して乗らない質素な旅でしたが。

僕は猟友会員の父の尽力で、早くから狩猟免状をもっていましたし、今度の旅へもってきた銃も、ミットランドの二連銃で、父から買ってもらったものです。父も一時使っていた銃ですから、これは父の形見というわけです。

形見というのは、父は一昨年の春に、突然脳溢血《のういっけつ》で亡くなったのです。

その秋は、僕の学生時代の最後の猟季でしたので、父の死の悲しみをまぎらせかたがた、僕は猟銃を肩にぶらりと北海道へ旅立ちました。

僕は今度は、前のように父の猟友達にいろいろ面倒を見てもらったりする便利だが窮屈な旅よりも、不便ながら勝手気ままな旅をするつもりで、誰にもしらせずに札幌に到着しました。

『ひとつ今度はアイヌ部落に泊ってやろう』

それが僕の夢だったんです。まことに他愛のない夢ですが、当時僕の頭の中は、鴫だの鹿だの雷鳥だので一杯で、まだ女の子のことなどはそれほどムキになって考えていませんでした。それにはおそらく父が僕を柔弱に育てまいとした影響があったかもしれません。

札幌から汽車で一時間南東へむかうと、千歳《ちとせ》という駅があります。戦争中千歳海軍航空隊ができて急に大きくなった町です。支笏《しこつ》湖から流れ出た千歳川がこの町をつらぬいていますが、町から一里ほど隔った川ぞいに、蘭越《らんこし》という古潭《こたん》のあることを聞き及んでいました。コタンというのは、つまりアイヌ部落のことです。

僕はその部落で数日すごす計画をして、アイヌにふるまうための焼酎《しょうちゅう》や煙草を用意して行きました。

「なぜアイヌ部落へいらしたかったの？」

夏子がきいた。

「なぜですかね。学生時分には誰でも意志の疏通する相手をたまらなくうっとうしく思う時期がありますからね」

……井田毅は、革のジャンパアの背にリュックを背負い、猟銃を下げて、ランコシ・コタンへの川ぞいの路をあるきだした。もううすら寒かった。北海道の冬は十月下旬からはじまるので、今はすでに晩秋である。

五色のもみじのために山々の美しさは論外である。黄いろ、茶いろ、紅、杏子《あんず》いろ、桃いろ、それに常磐木《ときわぎ》の緑がまじったさまは、却《かえ》って嘘のように思われる。日が当っているそういう山腹をじっと目を細めて見ると、全山が色とりどりのお花畑になったような錯覚におそわれる。

毅は、橋をひとつこえてランコシ・コタンの一端に在った。戦後東京でよく見るようなバラック建の小さい家が点在している。

古風なアイヌ建築は非衛生のゆえに禁じられて、今はどこもこういうバラックに、男はズボン、女はスカートのアイヌが住んでいるにすぎない。それぞれの軒下につながれているアイヌ犬が、一せいに精悍《せいかん》な叫びをあげた。

毅は自動車道路から小径《こみち》に分け入って、犬のけたたましい吠《ほ》え声のあいだをとおった。一軒の家の窓から六畳ほどの家のなかをのぞき込んだ。ミシンがあって、一人の少女がけんめいにミシンを踏んでいる。

「ごめん下さい」

毅がそう声をかけた。

少女のおかっぱの前髪は、機械の前に美しく垂れかかってその顔が見えなかったが、こう呼びかけられて、危険を感じた野性の獣のように、鋭い速度であげられた顔は、毅の目を真向から見据えてこわばっていた。青年はその緊張した表情の美しさにおどろいた。

「ごめん下さい」

もう一度声をかけた。

少女はじっと唇をかんで、又すこし口をあけた。栗鼠《りす》のような白い歯がちらりとみえた。まだ返事をしない。

「東京から来たものですが」

「なんの御用ですか」

読本をよむような淀《よど》みない爽《さわ》やかな朗読口調でこう言った。こういう一種悲しげなほど一生懸命な朗読口調を、われわれは女学校の窓にしばしば聴く。僕はQ大学の学生です」

「お差支えなかったら泊めていただきたいと思って来ました。

彼はひょうきんに制帽をぬいで、指さきにかぶせて、まわしてみせた。

「一寸《ちよつと》待って下さい。今、みんな留守ですから、きいてきますからね」

彼女は粗末なぶどう色のセーターと、きいろいスカートをはいていた。その配色が野生の果物を思わせた。

2

彼女の父は製紙会社の下働きで、かたわら猟季には、猟に熱中するのであったが、製紙会社の仕事というのは、会社のもっている林の木を伐採することである。つまり木こりである。

少女は父を迎えにゆくために家を出た。赤い鼻緒の下駄をはいている。手足も白くてなよやかで、どことなしに品がいい。毅はアイヌの女たちもちかごろ町風をまねてもじゃもじゃのパーマネントをかけたりしているという話をきいたが、この少女はそうではなかった。

何とも云わないので、だまって少女と一緒に歩き出す。一人でのこっていては空巣ねらいとまちがえられるであろう。少女はひどく無口で、話しかけなければ自分から口をきくということがない。少女の名前も年齢もきかずにすぎたが、やがて川の上流のもみじに明るい林の中から、手斧の音が丁々ときこえてきた。

「おーい」

少女は口に両手でラッパをこしらえて父を呼んだ。この声は毅をびっくりさせた。三軍を叱咤《しった》しかねない声である。

出て来た父親は髭《ひげ》の濃い精悍そうな男である。毅を見る目は胡散《うさん》くさそうで、馴《な》れない獣の恐怖と威嚇の入りまじった光りがある。そのかすかに青い瞳《ひとみ》は、落ちくぼんだ眼窩《がんか》の中にあって、鼻筋のとおった顔立に、北方民族の暗い威厳があった。典型的なアイヌの顔である。毅はこの男からあんな美しい娘が生れたのをふしぎに思った。

娘の説明をきくと、父親はにこにこした。

「学生さんかね」

「ええ、そうです」

「狩をなさるのかね」

「ええ」

「泊りなさい。泊りなさい。面白い話をうんときかせてあげよう」

父親はもう仕事がすんだところだから、このまま家へかえるといい、手斧を川で丹念に洗った。新鮮な黄いろい木片や粉が、澄んだ水の中に微細なあぶくを立てて沈んだ。少女は毅の銃にさわってこう言った。

「いい鉄砲だねえ。ねえ、お父さん、いい鉄砲だねえ」

父のほうを向き、はっきり父にだけ話しかける言葉でありながら、この快活な話しぶりには、明らかに毅への好意がうかがわれた。

「俺の銃はいまだに村田銃だからなあ」

彼は帰り道にもしきりに毅の銃をほめて、女の腕にさわるようにいとしげに銃身にさわってみた。

二人が家にかえると、小学校からすでに妹娘が、村役場からそこへ手伝いに行っている姉娘がかえっていた。千歳町へ買物に行っていた母親もかえっていた。

父親が姉娘を紹介した。年は十九で信子《のぶこ》という大柄な娘である。妹娘を紹介した。十二歳で松子《まつこ》という。さきほどの美しい少女は十六歳で秋子《あきこ》というのである。

親切で気さくな一家は、毅のもってきた焼酎や菓子の土産に大よろこびをし、毅は父親の呑《の》みっぷりに、酒が本当に好きな人の顔に、まるで野山に春が来るように、酔がなごやかに漂ってくるのを見たが、どう見ても秋子一人は同じ家族の一員とは思われなかった。彼の目はともすると彼女の顔にとまる。

「秋子はいつも男の人にじっと見られていいな」

と少しも嫉妬《しっと》のない無邪気な調子で姉が言い出したので、みんなは笑った。毅はちょっと拍子抜けしたような気持がした。

その晩は大そう冷えたが、囲炉裏のそばでアイヌの話す熊の話はなかなかつきない。

「秋は熊が人里へ近づくです」と父が云った。「熊の好物は、沢の蟹《かに》、鮭、林檎《りんご》、とうもろこし、馬鈴薯《ばれいしょ》、山ぶどうであります。ある晩、村の若い衆が、とうもろこしを人の畑へ盗みに行ったところが、

『ギューポン、ギューポン』

という音が畑でする。これはとうもろこしを折る音だ。暗くてよくわからないが、どうもこんなことをやっているのは、自分の仲間の友達にちがいない。そこでそばへ寄っておどかしてやろうと思って、

『泥棒め』

と言いながらとび出した。するとこれが熊だったたです。若い衆は頭をかかえて逃げ出したな」

あくる日毅は、父親について川のほとりの伐採林まで行ってみたが、彼が何とな

く黙っているのを察した父親がこう言った。

「あんた、何か考えているね。秋子のことだろうがね」

彼があわてて否定すると、豪快に笑ったので、その笑いは林のあちこちにこだました。

「そうだろう。しかし誰にも言いなさるな。秋子は私の娘ではないんだ。あれは和人《わじん》の娘だよ。わしらは天照大神《あまてらすおおみかみ》より古い神さまの子孫だ。あの娘はあんたと同じ、天照大神の子孫なんだ」

第六章　麦藁《むぎわら》帽子

1

「和人って何のこと？」

夏子が草の上に投げやりにそろえた脚に這《は》いのぼってくる蟻をつかまえながら、こうきいた。

空はかげって来た。いつのまにか雲がふえて、夏子の顔にはオパールのようなくすんだ色が添えられた。うす墨で一刷毛《ひとはけ》はいたようなもみあげのほつれ毛が、その頬の明るさに、静かな憂いをかげらせているようで、青年がちらりとそれを見た目のなかに、丁度自動車の油量計の針が小きざみにふるえて目盛りをさす時のような、かすかなふるえが見られたのは、夏子の美しさからみれば当然のことであった。この大そうすれっからしの処女は、自分がどういう態度をした時に、男にどんな反応があらわれるかという凡百の実例をよく知っていた。

「和人って、内地人のことさ」

不用意に言った青年の言葉には、今までの「ます」口調が消えていた。彼が言いなおすひまもなく、夏子はついいつもの男友達にやる調子で、青年の膝《ひざ》に手をかけてゆすぶりながら、こう言った。

「それ好き！　夏子、そういうの好き！　ます口調なんかやめて『だよ』っておっしゃって」

青年は大そうてれて、あらあらしく手もとの草をむしった。そのとき函館港の防波堤の門の紅《あか》い灯台のむこうを、一隻のアメリカ船らしい白い貨物船が港内へ入ってゆくのがみえた。港は風がないとみえて、海面が大そう青くしずかである。そのうすぐもりの海面のしずけさが、しんと鳴っているように思われるほどである。

「それから」

夏子が話のつづきを催促した。

「それからね、僕がきいたその娘の生い立ちの話だよ」

と青年は語りつづけた。

2

十五年むかし、このオヤジが——名前をまだ言わなかったっけが、大牛田十蔵《おおうしだじゅうぞう》という大へんな名前だ。そこで情ないことに、十六歳の秋子も大牛田秋子ということになる——つまりその大牛田十蔵が、みしらぬ旅の女を泊めてやったことがある。今も昔も、ここでは好さそうな人と見ると、気がるに泊めてやるならわしである。

それは五月だった。野山には雪が消えはじめていたが、それでも北向きの斜面にはまだ二三尺の雪が残っていた。川には辛うじて水が流れだしていた。日あたりのよい南むきの土地は、土がまるで新鮮な肉のような色をしてあらわれはじめ、ところどころに青む草もあった。

カンジキをはかないでも歩ける路上の硬雪は、さすがにとける速度がおそかったが、日毎にその一二尺の道の高さが、目にみえないほどすこしずつ低くなってゆくのがわかった。

春の彼岸からこのころまでが、まだ穴に入っている熊の安全な猟季である。五月も半ばすぎて草が高くなると、穴を出た熊は草に身をかくして見つけにくくなる。

この年のこの猟季に、十蔵は五十貫にちかい熊を一頭とった。もっともそのために愛犬を一匹うしなったが。

雪のふかいあいだ、十蔵は夜なべ仕事に村田銃の丸玉をつくっている。春が来る。とはいえ暦の上の春である。夏から秋にかけてためこんだ養分で、初冬に穴へ入るときは腹の皮の脂が五寸ちかくもあるのに、春、穴を出たての熊は、その脂がすっかりなくなって、腹がペコンと凹《へこ》んでいる。

十蔵がその年はじめてとった熊は、兎打ちの副産物であった。つれていた犬が雪の上に立ちどまって、急に鼻をのばした。木の下の物蔭をかぎつけたり、東西南北へ鼻をむけて、匂いの方角をさがす様子である。熊の穴には独特の匂いがある。風下にいると三百米以上でも、犬はこの匂いをかぎわける。

十蔵は枝をわけて暗い木下道へ入った。雪のためにしなった枝々が、からみあっていて歩きにくい。その一枝をわけると雪が途方もないほうからどさりと沢山おちてくる。見下ろす崖《がけ》の雪にうずもれた斜面に、穴があるらしい。犬が崖の上に立ちどまって甲高くほえ出したので、吠《ほ》える声は雪のしじまにこだました。

『熊だ』

十蔵にはすぐそうわかった。

犬に番をさせてあわてて家にかえって、あるだけの実弾をもってかえった。

十蔵は、

「俺はガンケ（アイヌは崖のことをこういうのである）の下へゆく道を、犬をつれて下りようとしたはずみに、ガンケから辷《すべ》りおちた。辷りおちてすぐ身をおこすと、その前にまっ黒い穴が口をあけてる。穴の中へ実弾を射ち込んだ。中ですごいうなり声がして、しずかになった。犬は鉄砲射ったら獲物は死んだものと思う。そこで俺の犬が勇敢に穴の中へとびこんだ。すると中から犬の悲鳴がきこえた。手負いの熊に叩《たた》き殺されたんだ。俺はそれから穴の中へ、もっともっと実弾をぶちこんで、熊《やつ》を退治たね」

これには面白い後日譚《ごじつだん》がある。

丁度、千蔵へ来ていた外人の狩猟家が、話をきいて、十蔵のところへ熊を見せてもらいに来た。数日して、札幌のある百貨店の三階の窓から、ゆきから人の頭上に、人間の手がぽとりと落ちて来て、大さわぎになった。実はこれはこのいたずら好きな外人が、三階の窓から投げた、皮をはいだ熊の手であった。彼はそれを十蔵にせがんでもらったのだが、熊の手は皮をはぐと人間の手にそっくりである。

アイヌに熊狩自慢をさせておくときりがないので、青年は秋子の話のつづきを促した。さもないと、もしかしてここへ秋子が又やって来て、そのために話が中断されるかもしれないと思ったのである。

……さて、それは五月だった。

十蔵は毎年の春の仕事の造林をはじめていた。苗とシャベルを背にしばり、飯盒《はんごう》と水筒をたずさえた今日のようないでたちである。よく晴れた日で、一日きもちよく働らいた。かえりがけは、いつもの道をとおらずに川ぞいにのんびりと歩いた。夕日がさして来て、川の中にまだうかんでいる氷が、流れにゆれながら、キラキラと紅いろに光っていた。

上の道を自動車の走って来る音がした。当時は何分、数年前に千歳の町がランプと別れたばかりで、自動車の姿を見ることはめずらしいので、十蔵は不気味に思って、立止って耳をすました。車が止った音がして、エンジンが唸《うな》っている。

何かはげしく言い争う声がした。つづいて女の泣き叫ぶ声がきこえたかとおもうと、自動車のドアの乱暴にしめられる音がして、車は走り去ったらしい。

十蔵はあんまり気楽な事件ではなさそうだわいと思った。しかし半分は好奇心にかられて、密生したときわ木の下をくぐって、斜面を道のほうへ上って行った。道へ上ってみるとおどろいた。車のあとをしばらく追ったものとみえて、さっき車が止ったところよりずっと先の硬雪の路上に、洋装の女がぺたりと坐《すわ》って泣きじゃくっていた。

近よってみると、泣き声は女一人ではない。夕ぐれの路上に、立派なラクダいろの外套《がいとう》を着て坐っている女のふところに、しっかりと抱かれている赤ん坊があって、その赤ん坊も声をかぎりに泣いていたのである。

十蔵は近寄って、肩に手をかけた。女はやっと気がついたように顔をあげると、十蔵の風体にまたびっくりして、こう言った。

「どうかこの子だけはおたすけ下さい」

「いやになるね。俺は悪者ではないよ」

十蔵が熊のような指をさし出して、赤ん坊のあごをなでると、赤ん坊はふしぎと泣きやんでにこにこしだした。女はそれで安心したらしい。

「ごめん下さい。どこの方ですの？」

「この近くのランコシ・コタンのものだよ」

女は放心したように立上った。

「どこか宿屋があったら教えて下さい。こうしていたらこごえてしまいます」

女の顔をはじめて十蔵はまともに見た。彼はこんなに気高い美しい人を見たことがない。その毛皮の襟のついた皇后様のような外套、すらりとした美しい鳶《とび》いろの脚、それがストッキングと知らない十蔵には、こんな色をした裸かの脚の持主は、きっと人間ではあるまいと思われた。

「宿はないが人の家ならあるよ」

と十蔵は言った。

「それよりあなたはどうしたです」

「自動車からふりおとされたの」

「どうして？」

貴婦人は答えなかった。彼女の顔は涙に濡《ぬ》れて、てりかがやくようで、それが薄暮の残雪の反映の中で、神々しく感じられた。

十蔵は先に立って歩き出した。うしろから来る女はゴムの雨靴をはいているので、足音がほとんどしない。十蔵は何度かうしろの女が急にいなくなったような気がしてふりむいたが、彼女は眠った赤ん坊を抱いたまま同じ距離を保ってあとをついて来ていた。

すでにランプの灯をつけたランコシ・コタンが見え出した。ランプの灯はしずかに呼吸《いき》をしているように、汚れた窓硝子《まどガラス》を明るくしたりまたすこし暗くしたりしてまたたいていた。

「あの家です」

と十蔵が一軒を指さした。

するとそこかしこの猟犬が吠えだした。……

3

「その赤ちゃんが秋子さんなのね」

と夏子がきいた。

「そう。ところがその晩泊めてやった貴婦人は夜のあいだに居なくなったんです」

「まあ」と夏子はもう一度肌寒いものを感じて、「その女の人は幽霊だったの」

「それだと話は面白くなるんだけど。僕が幽霊の娘と恋愛した話になるからね」

「あなたって妙なものにばかり縁があるのね。幽霊の次はきっと尼さんよ」

青年は、まともに夏子を見つめて笑い出した。

「やあ、今度は自分で言ってらあ」

夏子はすこし赤くなった。

「あら、尼さんてあたくしのことじゃなくってよ」

少女らしいこんな拙劣な逃口上は、夏子には実によく似合った。彼女の目は半ばいたずらっぽく、半ばはずかしそうにうるんでいた。

港のほうから正午のサイレンが鳴りひびいて来た。

「お午《ひる》ね」――夏子が意味もなくそう言った。

青年は答えなかった。見ると、きびきびした手つきで腕時計を正午に合わしている。

「退屈した？　お腹が空《す》いたでしょう」

ネジを巻きおわると、夏子の目をのぞき込むようにしてこう言った。その目に見られると、彼女は自分の体が柔らかくなるのを感じた。

「ううん」

「じゃ、話をつづけよう」――言いながら、又ふりむいて、「寒くない？」

風は同じはげしさで雲をたえず散らしていた。

「いいえ、それからどうしたの。その貴婦人、誰だったの？」と夏子がきいた。

「ともかく十蔵があわてて警察へ届けると、警察でも早速ほうぼうへ問い合わせ、失踪《しっそう》した貴婦人を探しまわった。ところが行方はまったくわからない。又あの夕方千歳をとおった自動車を見た者がない。皆はふしぎがって、おしまいに十蔵の作り話だと言い出す人があらわれ、もっと凝った観察をする人が出て、あれは十蔵が和人の女に生ませた子を引きとることに細君が反対したので、あんな狂言を考え出したのだという噂まで立った。十蔵は面目丸つぶれなんだ」

「そして、それきりなの？」

「いや、一週間ほどして、千歳から十哩《マイル》以上もはなれた山の中の、崖《がけ》の下にころがりおちている自動車が発見された。運転台の男女が重なり合って死んでいる。十蔵が首実検に呼び出された。自動車もたしかにあの時のだった。女もあの貴婦人だったんだ」

「まあ」

「この事件は、僕は知らなかったけど、東京の新聞にも出て、大さわぎだったそうだよ。男は札幌の金持の一人息子で、事業に失敗して破産した。女のほうは、男の友達の話によると、月に一ぺんほど東京から出てきて男に会いに来る女で、友達にも正体を語らなかったそうだ。いまだに女の正体はわからないんだ。華族の娘ででもあって、家族も家名の汚れになるから名乗って出なかったのではないかという説がある」

「でも、どうして先へ行った車に追いついたんでしょう」

「ありそうな推測はこうなんです。男が心中を企てて、たった一つのこった財産である自動車に乗って、どこかへつっ走って崖から落ちてしまおうとする。女も賛成する。けれど、いざとなって、女がいや気がさしたか、それとも男のほうで不びんになったかで、途中でむりやりに車から降ろしてしまう。しかし、男もまた一人で死ぬのがさびしくなって、夜部落の道を引返して来る。女が耳ざとくその車の音をききつけて、子供を置いて、自分だけ男と死にに行く。……」

「すごいお話ね。夏子、そういうお話大好き。夏子もそういうことしてみたいわ」

東京を発《た》ったときに比べると、夏子の目ははるかにいきいきしていた。人生に対する子供のような好奇心がよみがえって来たのである。彼女はそれをすっかり失ったつもりでいたのだった。青年はこの半畳をきかぬふりをして、語りつづけた。

4

……十蔵は語りおわると、毅を見て、何か言いだそうとして黙った。あたたかに射している日を額にうけた深い眼窩《がんか》は影になって、眉《まゆ》から下が黒い洞穴のようにみえる。

「今の話は」と青年は察しをよくしたつもりで「誰にも喋《しゃべ》りません。安心して下さい」

「いやいや。誰でも知っている話だよ。当の秋子だって、きいて知っているよ。あの子は強いところのある子で、そんなことに負けちゃいない。俺らを本当の父母と思うのに何の苦労もないと自分で言っている。あの子には暗いところがないでしょう。あの子はすくすくと伸びて、今に北海道一の美人になるよ」

近くの山ぶどうの葉が急に動いた。それはリスだった。

青年は今きいた話からうけた感動がさめないで、木の切株に腰かけて、リスの行方をじっと見送った。

「安心しなさい。あの子は今まで男と見ると白い眼をむいてたもんだ。あんただけは特別らしいよ。やっぱり和人の心は和人のものだな」

——それから毅は、すすめられるままに、一週間もそこに滞在した。

秋子とは一日一日親しくなり、二人の仲は夕方の食卓で、一家から無邪気にからかわれた。気の早い姉は、もし秋子が井田さんと東京へゆくことになったら、姉もよんでくれと指切りしていた。

秋子と二人きりで千歳川をさかのぼって歩いてゆくと、とど松やえぞ松の林の中で、急に秋子が姿をかくすことがあった。一寸《ちょっと》した隙にたちまち影も形もなくなるのである。

青年ははじめはふざけて怒鳴っているが、その「おーい」という呼び声が真剣味を帯びるとおもうと、どこからかきれいな小鳥の啼《な》き声がきこえてくる。秋子は鳥の啼きまねが実に巧い。

青年がほっとしてふと川のおもてを見ると、岩のあいだに澱《よど》んだ暗い水が、一本の大きなエルムの木のかげに、じっと身をひそめている黄いろいセーターを映し出す。

青年が追いかけて、とうとうつかまえるはずみに、その胸の柔らかいところに強く指がかかることがあった。そのまま抱きすくめようとすると、秋子は抵抗しない。しかしこの十六歳の少女は、あまり無邪気で、別に危険を感じていないようにも見える。彼の指を一本一本自分の体から引き離しながら、

「ひとおつ、ふたあつ」

と、数えたりする。

「よかった。五本あった。人喰《ひとく》い熊には指が四本しかないんですって」

「それじゃ僕はおとなしい熊だね」

「あたし熊好きよ。家にまえ仔熊《こぐま》を飼ってたの。動物園に寄附しちゃったのよ」

「秋子ちゃん、東京の動物園を見に行かないか」

「ばかにしてるわ。あたしそんな子供じゃないのよ。東京へ行ったら、まず地下鉄に乗ってみたいな」

二人は川のそばで、小さな蟹《かに》のうごきを見ていた。毅が強がって、その中でも大きいやつを手でつかまえてやると言い張った。秋子は、やってごらんなさいと笑って手を叩《たた》いた。すると毅は、ばかにしていた蟹のハサミにひどく指をやられ、血がぷつりと小さいぐみの実のように青年の指さきに滴を結んだ。

「こうすれば治る」

野性の少女はすこしもあわてなかった。彼女は毅の指へ自分の口をもって行ってその血を吸った。それから丹念に傷口をなめた。毅は可愛らしい小猫に指を舐《な》められているような気がした。

『この子と三年たったら結婚しよう。来年迎えに来て、二年東京に置いて家の人たちに親しませよう。お母様を何とか説き伏せなくては』

毅はだんだんそういうことを考えるようになった。はじめはほんの思いつきと云った調子で、五分ほど、つぎには卅分《さんじつぷん》ほど、そしてとうとう明日はかえらなければならないという前の晩には夜もすがら。

「きっと又来るよ、近いうちに」

別れぎわに彼は、秋子の姉妹中でいちばん小さな白い手を握って言った。秋子は泣いていた。それもしんから悲しそうでなく、別れるときは泣くものだと思いこんでいるらしいたよりなさもあって、それがかえって可愛らしい。

彼は手をふった。ランコシ・コタンの橋の袂《たもと》に一家は並んで彼を見送った。そのとき秋のおわりのさわやかな鰯雲《いわしぐも》が、コタンの上の空を領していた。

毅がおそろしい手紙をうけとったのが、帰京のほぼ十日のちのことである。信子の下手な字のごく短い文面である。

『大へんです。秋子が熊に殺されました。きのう三人で日蔭草をとりに山へ行ったら、いきなり人喰い熊が出て来たのです。みんな逃げましたが、秋子はどうしたのか葡萄蔓《ぶどうづる》の上へよじ上りました。あとで引返してみると、秋子はもうそこにいませんでした。

秋子の麦藁《むぎわら》帽子だけが、竜胆《りんどう》のいっぱい咲いた草むらの中に落ちていました』

第七章　やさしい片腕

1

「仇《かたき》というのは、その熊なのね」

「そうなんだ。しかし名だたる狩猟家たちも、その熊を仕止めることができないんです。早速十二人の猟友会員が集まって、二週間追いまわしたが、駄目だったんです。この十二人はえりぬきの名手ですが、おそろしく逃げかたのうまい熊で、ふつうの熊の習性からはずれているんです。アイヌのあいだでは、今もって神秘的な噂が立っているらしい。大体人を喰う熊は、四本しか指がないといわれている。そういう熊は悪い霊の化身だと信じられていて、和人の娘をさらって行ったのも、足跡に四本しか指がなかった。だから決してつかまるまいというんです。もっともただの悪霊なら、あんな残酷な殺し方はしないだろうけど」

「残酷な殺し方って？」

「手足がばらばらに……、いや、その話はよしましょう」

青年の眉は曇って、満々たる日光をたたえたこの廃墟《はいきょ》のプールの、石だたみのあいだに鋭く生い立っている、あざみの葉をじっと見つめた。そのときさっき二人の来た道から、手をつないだ恋人同士があらわれて、こちらの二人に気がついたように立止った。男は白いワイシャツである。女は白いスーツである。夏の日光を浴びて、着ているものがまぶしく反射するので、顔はよくわからない。ふとこれを見た夏子は、むこうの一組もまったくおなじ服装なので、鏡を見ているような錯覚におそわれた。するとむこうの二人は、こちらに遠慮したように、もと来た道へ姿をかくした。とんだ気をまわされた夏子と井田は、顔を見合わせてほがらかに笑った。

「今こそこうして笑っているけれど」と青年は語りつづけた。「その当時は僕は、とてもひどいショックをうけて、しばらくぼんやりしてしまった。去年の春大学を出ると、前からきまっていたので、死んだ父の倉庫会社へ入ったんですが、まだあきらめ切れなくて、秋になって一週間休暇をとって、北海道へ来て見たんです。なんとかあの熊を仕止めて仇をとりたい。猟友会の人たちにも助力をたのんでみたけど、みんなあきらめたほうがいいというんです。そのうちに休暇の期間もすぎて、東京へ帰らなければならなかった。

『来年こそ』と僕は思った。『来年こそ、人の助力をあてにしないで、僕一人でぶつかってみよう』

今年になると、僕は一日も欠勤せずに会社へかよい、いそがしいときは日曜日にも出てはたらきました。秋の猟季になったら、少しでも長い休暇をとるつもりで、一年中の休暇日数を、今年こそ仇討のために百パーセントつかうつもりだったんです。

梅雨のあいだに、札幌の地方新聞の札幌タイムスの記者をしている学校友達から、耳よりなニュースをつたえて来ました。北海道には梅雨がありません。この六月はじめに、たしかに例の熊らしいのが或《あ》る牧場にあらわれて、馬が二頭やられたという手紙です。あの熊なら、ふつうの熊とちがう。猟季なんてあてにならない、早速僕は部長のところへ行って、お伺いを立てました。

『部長、二週間休暇をいただけませんか』

『そりゃあ規定だから、あげないものでもないが、何か事情があるらしいね。云ってみたまえ』

『ええ、北海道に一寸《ちよつと》家の用事があるんです。かえって来たら、くわしくお話します』

『これかね？』

部長は目の前の赤鉛筆をとりあげて、片目をつぶって、鉄砲を打つまねをしました。

『ええ』

『どうもこいつは、君の病気だから仕方がない。わしの競馬狂みたいなもんで、人力ではいかんともしがたいからな。そのために今年の上半期を無欠勤ではたらいたとは、呆《あき》れたマニヤだ。よろしい。行って来たまえ』

僕が足どりもかるく部屋を出ようとすると、部長は、『井田君』と僕を呼びとめて、

『規定は二週間だが、北海道なら夏でも風邪を引くかもしれんから、あと一週間や十日ぐらい、養生をして来てもいいよ』

と云ってくれました。それで僕は出て来られたんです。母にもくわしくは云わず、猟銃片手に、鴨でも打ちに行くようにね。……

その第一日が今日なんです。ああ今日は一日、函館で英気を養ったな」

彼は、大きなのびをした。健康そうな胸が、白いワイシャツの中で大きくうごいた。

「さあ、もうかえりましょう。町へ下りて、昼ごはんをたべましょう。何かの御縁だから、僕におごらして下さい」

2

夏子は立上らなかった。いつかしら、立てた両膝《ひざ》の上に肱《ひじ》をあてがい、考え事をしている彫像のように動かなくなった。スカートの片端から素肌の白い膝が、(ともすると、その白い小さな膝も、考え事をしていたのかもしれないが、)少しのぞいているのにも気がつかない様子である。頰にあてがったその掌は、彼女の頰を、奇妙に子供らしくゆがめていた。――今や夏子の、決心のしどころだったのである。

「さあ、もう行きましょう」

青年が、重ねて促がした。

夏子は燃えている目で、真剣に青年を見上げて言った。

「ねえ、あたくしもつれて行って」

「だからつれて行くんです。はやく昼飯に行きましょう。僕はもう腹ペコだ」

「ねえ、あたくしもつれて行って。かまわないから、あなたのいらっしゃるところへ、ずっとつれて行って」

「だって今日一日、函館をぐるぐるまわったって、つまりませんよ」

「ううん」と夏子ははじめて微笑をとり戻した。「今日一日じゃないの。あたくし、修道院へ入るの、やめてもいいの」

青年は、ぎくりとしたように、夏子をみつめた。

「何ですって」

「ね、あたくし仇討のお供をしたいの。何でもしてよ。いいでしょう。どこへでもついて行くわ。あたくしに出来ることなら、何でもしてよ。御飯もたけるし、オムレツも作れてよ。あたくし、フライパンを片手にもって、ハンバーグ・ステーキをポンと引っくり返すことだって、できるのよ」

「そんなこと出来たって、熊狩りの役に立ちませんよ」

「いいわ。どうしてもだめなら、明日、修道院へ入る代りに、睡眠薬を呑《の》んじゃうから。前にも呑んだことがあるから、平気だわ」

青年は少々この美しい少女のお頭《つむ》をうたがったが、だんだん夏子の真剣さがわかって来ると、感じやすいお嬢さんの心を刺戟《しげき》するような話をしてしまった自分の軽率さをくやんだ。このままほっておいたら、彼女は本当について来そうである。青年は大人の思案で、なんとかこの足手まといを、体よくまいてしまう方法はないかと考えた。

夏子は膝詰談判という調子で、彼の顔をみつめて、目を離さない。この青年のあとを追ってゆくこと、それこそは本当の情熱のあとを追ってゆくことである。

「夏子、もう決心したわ。どうしても連れてって。あたくし、子供のときから、一度云いだしたことはきかないの。それとも……」――と彼女は言葉をにごして、すこし顔を赤らめた。「……それとも、つれてゆく資格がないとお思いなの？　ならいいわ、資格があるようになればいいんでしょ」

こんな処女の大胆さは、世馴《よな》れない青年相手だったら、とんだ誤解を招きかねないが、彼女はその半袖《そで》のスーツの腕を、急になめらかな白い速度でのばして、若者の首に巻きつけた。顔が近づき、真上からの日光で、まつ毛が閉じた瞼《まぶた》の下に鮮明な影をおとしているのが、青年の目に見えた。唇はどちらから近づいたかわからない。ただ二人とも、ほんの一二秒のあいだ、相手の熱いかぐわしい夏草のような息をかいだ。

体が離れると、井田は目を丸くして、

「おどろいたお嬢さんだ」

「これでいいでしょ。つれてってね」

「よし、よし。おつれいたします。あしたの朝十時の汽車で発《た》ちますから、九時までに僕の宿に来て下さいますか」

夏子は聡明《そうめい》そうな目《ま》たたきを一つした。

「え、きっとうかがうわ。指切りしてね。それまでに夏子、お母さまやなんかを箇単に説き伏せちゃうわ」

二人は会社の昼休みに一寸遠出しすぎた男女の社員といった風で、函館山の下り道を、はずみすぎて苦しいほどの足どりで下りた。雲がふえて来たので、二人の足もとを雲の影がうごき、杉並木の木かげの道へ入るまで、まるで雲の上を歩いているような心地がした。

市電に乗って松原町で下りると、青年は夏子を松原町の或《あ》るレストランへ案内したが、スープの皿の運ばれるのを待つあいだ、夏子は化粧室へ立つ風で席を外した。

階下へ下り、ぼんやり壁際に立っているボオイの一人に合図した。美しいお嬢さんから、いきなり百円のチップを手渡された少年が、ドギマギしていると、

「電話帳を引いて、栄町の北栄館の電話番号をしらべて頂戴《ちょうだい》。それから、北栄館の人が出たら、『札幌タイムスの者ですが、井田毅さんはいつお発ちですか』とそれだけきいて頂戴。わかって？」

「へい、わかりました。札幌タイムス、井田毅、札幌タイムス、井田毅……」

だぶだぶの給仕服を着ている少年は、口の中でくりかえしながら、電話室へ入った。

夏子は耳をすましている。

「は？　今晩八時半の夜行でお発ちですか？　札幌行？　は、わかりました」

夏子は又ひとつ片目をつぶってみせて、上機嫌で、二階へ上った。

スープが半分さめかかっていた。井田はおとなしく彼女を待って、匙《さじ》をつけずにいた。

『まあこの平気そうなお顔！　お腹の中では、おそいじゃないかスープがさめてしまう、と云いたくてたまらないんだわ』

こう考えると、彼女はますます上きげんになって、これ以上はないほど愛嬌《あいきょう》よく席につくと、糊《のり》のききすぎたナプキンを、

「まあ、まるで、のし烏賊《いか》みたいね」

と云いながら膝にひろげた。

その晩、八時半の夜行の三等車は大そう空《す》いていた。夜になるとさすがに寒かったので、井田毅はジャンパアの襟をすくめて、あいている前の座席へ足をのばした。何かその自分の一足の編上靴のごつい姿が、もの足りなく淋《さび》しく眺められる。『くよくよするな。あんな派手なお荷物を背負い込んでどうするんだ。僕はもうお伽噺《とぎばなし》に浮かされる年じゃないんだ』

そのくせ、この青年は、自分がもう一つの別のお伽噺に熱中していることを、忘れている。

発車のベルが鳴りだした。ふとやさしい声をきいて、毅は物思いからさめた。

「ここ空いております？」

彼は顔をあげて、あっと言いそうになった。ボストンバッグを提げ、青いカーディガンに女仕立のズボンをはいたその乗客は、夏子であった。

何を云うひまもなく、汽車は一瞬あともどりするように揺れて、うごき出した。

……

第八章　寝耳にお湯

夕方かえると云って出た夏子が、案外早くかえって来たので、祖母も伯母《おば》も母も気をよくしたが、夕食をすまして、お風呂《ふろ》へそろって入る段になると、浴室まで来た夏子が、

「あら、お手拭《てぬぐい》をわすれた」

と云って部屋へとりに戻った。

「まあ、あたくしのを貸してあげるのに」

と、母が言ったときは、もういなかった。

「やっぱりあれで昂奮《こうふん》しているんですね。ふだんの夏子に似合わないことですよ」

と祖母が言った。

「ほんとうにね、ふびんだこと」

と伯母がすぐさま、合槌《あいづち》を打った。

三人は折柄、ほかに浴客のないガランとしたローマ風呂へ入ったが、そのあまりにあけすけな明るさは、おちつかない感じがした。三人ともあまり喋《しゃべ》らない。しば

らく空っぽの桶《おけ》の音と、湯の音ばかりが、蒸気の粒がいちめんにきらめいている丸天井に反響した。

「夏子はまだかいな」

湯にひたりながら祖母が言った。

「すぐまいりますよ」

すこしいらいらした口調で母が言った。

三人ともまた黙った。

「ほんとに夏子はおそいのねえ」

祖母が又言った。

「すぐまいりますったら」

母が半分怒ったように言った。

「何も怒ることはないでしょう、光子」

祖母が本当に怒って言った。

そのうちに伯母が一人で、こそこそと体を拭《ふ》きだした。実にあわただしい、見ていて腹の立つような拭き方である。

「一寸《ちょっと》夏子ちゃんを見てまいりますわ」

声が半分上ずっている。伯母が出てゆくと、祖母と母は浴槽の中で、又黙って、お互いに目をそらしていた。

忽《たちま》ち仰山な足音がきこえて、風呂場の硝子戸《ガラスど》がガラリとあけられた。伯母が大声で叫んでいた。

「大へん！　大へん！　夏子ちゃんがいなくなった」

祖母と母は同時に、キャアと言った。本当にキャアと言ったのである。

同宿の客は、廊下で出会った、風紀びんらんとしか言いようのない、とんでもない行列に目をまるくした。それは行列というよりは、むしろ疾風である。浴衣《ゆかた》姿の中年女が泣きながら駈《か》けてゆくあとから、腰巻一つの老婆と中年女が、はだしで二階へ駈けてゆくのである。廊下にいちめんにのこった濡《ぬ》れた足跡を、あとからとおりかかった人は、立止って首をかしげて、ふしぎそうに見てとおった。

部屋の机の上には、ちゃんと手紙がのっていた。ペンでかんたんにこう書いてある。

「修道院へ入るのが、いやになりました。二週間ほど、おひまを下さいませ。行先はおしらせできません。きっと無事でかえってきますから、御安心下さいませ。捜索願なんかお出しになると、また睡眠薬をのみますよ。夏子を信用して下さるなら、安心してお待ちください。なお、お金はいただいておきます。東京からおとりよせになればいいでしょう。

おかあさま、おばあちゃま、おばちゃま」　夏子

こんな早業のためには、たしかに前以《まえもっ》て、手順が考えられていたにちがいない。お金は……。

書置は前以て書いたものだろう。荷物は前以て、まとめておいたものだろう。お金は……。

「ああ、何が情ないって、あの夏子が、自分の洋服だけならともかく、不良少年みたいに、親のお金を抜きとって家出するなんて、本当に情ない。尤《もっと》も、お金をとってゆくなら、死にに行ったのでないことがわかるだけいいけれど……」

こういうヒステリーじみた母親の独白には、十分プチ・ブゥルジョアらしい物の考え方が盛られていた。

こんなときに男が一人でもいれば、もう少し機敏な処置をとれたことであろう。三人は宿の番頭が急をきいてはせ参じるまで、ただなすこともなく、部屋の中をうろうろして、ときどき部屋の隅に坐《すわ》り込んでしまうだけだった。伯母のごときは、はじめからおわりまで泣いてばかりいたのである。失踪《しっそう》直後に追いかけてみれば、近くでつかまえることができたかもしれない夏子が、わざわざ遠くまでゆくひまを、作ってやったようなものである。

警察へ電話をかける段になると、祖母がまっさきに反対した。

「あの子は本当にまた睡眠薬をのみかねない子だからね。めったに禁は犯せませんよ」

母は困って東京へ長距離電話をかけた。かけたのが八時半なのに、たまたま混んでいて、夜十二時すぎになって至急報が通じた。

「もし、もし、旦那《だんな》様。大へんでございます。夏子が修道院へ入るのがいやになって、行方をくらましましたの。何もいやならいやと云ってくれれば、むりに入れる私たちじゃございませんのに」

「いいよ。いいよ。ほっときなさい。又けろりとしてかえって来ます。それが神の摂理ですよ。私もそんな予感がしておった」

「そんならよございます。御自分の娘でないような口をおききになりますね。へえ、よございます。こちらは勝手に警察沙汰《ざた》にして」

「それはお待ち。世間態《せけんてい》も考えないか」

「そうだわ。どうしよう。世間態も大事だわ。それにあの子もお嫁入り前だし」

電話の途中で、津軽海峡の波の音みたいな雑音が、相手の声を遠くした。

「いいから、三人で東京へかえっておいで」

「いやです。警察沙汰にはいたしませんが、私共三人で探しあてます。二三週間はかえれますまいから、毎晩、女中の作るおかずで我慢していただきますよ」

　こんな一ト騒動の朝、札幌についた急行からは、一組の軽快な男女が降り立った。青年は猟銃を肩から下げ、お嬢さん風の連れはのんきにボストンバッグを手でゆらしている。手持無沙汰なほど軽いのである。

　二人はまず気分を新たにするために、快晴の午前の駅前通りの靴磨きに靴を磨かせた。午前の日はすでにやや暑かった。札幌の靴磨きは夏のあいだ日傘のサービスをする。各店各自の思い思いの傘を、磨いているあいだ、日に照らされている客に提供するのである。夏子は黒い蝙蝠傘《こうもりがさ》を、毅は赤のはげたパラソルを持たされて、顔を見合わせて苦笑した。傘をとりかえると、夏子の顔は、傘の色で、赤いひなげしのようになった。

「やあ」

　と毅が肩を叩《たた》かれて、ふりむいた。

「やあ、丁度よかった」

「こちらは札幌タイムスの野《の》口《ぐち》君です」

　と毅は夏子に紹介した。

第九章　たのもしからぬ情熱家

1

「こちらは札幌タイムスの野口君です」

という毅の紹介で、夏子がふりむくと、そこには小肥《こぶと》りした、ゆかいそうな青年が立っていた。開襟シャツを着て、無帽である。

夏子と毅の靴が磨かれおわるには、間があった。そこで二人は、待っている野口が、腕ぐみをして二人を興ありげに眺めくらべるのを辛抱しなければならなかった。

「きれいな奥さんだね」

と野口が、もちまえのかん高い声で、突然言った。紅《あか》いパラソルのかげの夏子の顔は、そこで一そう紅くなった。

毅が夏子に『ます』口調でしゃべっているのを、もうすこし注意して聞けば、こんな軽率なことも言わずにすんだろうに、野口は、何でも早く決めてしまわないと、気のすまないたちだったのである。

靴磨きがすむと、三人は横丁の喫茶店に入って、冷たいコーヒーをのんだ。窓から見る横丁は、およそ東京の「横丁」の概念を外れていた。人通りが少なくて、だだっぴろく、むこうの家並が小さく貧相に見える。舗装《ほそう》はされていない。夏子はその道の上が、雪におおわれる日を想像した。いかにも植民地という感じがする。「開拓」という言葉が思いうかべられる。がらんとした空地のような道のひろさに、広漠たる原野の一コマが感じられたのである。日がかげると、その人通りの少ない道は、野のようにかげった。

夏子は郵便局の場所をきいて、二人を残してそこを出ると、湯の川の宿にあてて、電報を打った。

イマサッポ　ロニキルアンシンコフ」ユクサキザ　キデ　ユノカハアテデ　ンポウヲウツ」ツイセキムヨウ」ナツコ

まことによく気のつくこの我儘《わがまま》娘は、席を外しているあいだに、穀のために「奥さん」問題の釈明の機会を与えてやろうと思ったのである。

彼女はのびのびと明かるい夏の街路を歩いた。靴は光っている。手には荷物もない。ちょうどオフィス街から歩いてくるので、出勤のサラリーマンの群を逆行する形になる。白い夏シャツと鞄《かばん》の群は、東京とかわりがない。向うがわの大きな商店の鎧戸《よろいど》が、今上りつつある。ショオウインドウの裾《すそ》が鎧戸の下から明かるく反射しはじめる。夏子は目を細めてそれを見た。青い幅のひろい洋服地の波がみえた。……

『まあつまらない。ここにも流行を追っかけて、暮している人たちがいるんだわ』

――喫茶店へかえると、野口が一人で所在なげに煙草を吹かしていた。

「ただいま。井田さんは？」

「今ちょっと、ＷＣへ」

夏子は口をゆがめて笑った。

「ＷＣへ荷物をもってゆくの？」

椅子に置かれているのは夏子の鞄だけである。

「いや、その……」

出てゆこうとする夏子を引止めて、野口は吃《ども》った。

「まあ、ちょ、ちょっと話があるんです。おちついて下さい、お嬢さん……。彼はあなたのことを本当に心配してるんです。責任観念のつよい男ですからな。御家族に申訳ない、と云ってるんです。大体御同伴で熊狩りなんて、無理ですよ。彼は東京へかえってから、ゆっくりお付合いしたいと云ってます。ぼ、ぼくがこれから、責任を以て、あなたを函館へ送還しますよ。いいですか」

こういう急場に、夏子はしーんとおちついてしまう、年に不似合いな特色をもっている。彼女はさっきのみのこしたコーヒーをすすった。マッチ箱からマッチを三本出して、ぬれたテエブルの上に、何ということなく、三角形を作った。夏子があんまり平然と黙っているので、とんだ東京製のヒステリーの御馳走《ごちそう》を覚悟していた野口は、却《かえ》って面喰《めんくら》ってもじもじしだした。

「たのもしくないところが、へんにたのもしい人ね。わからない。あんな人見たことがない」

　とやがて夏子が、独り言のように言った。それから野口をみつめて、笑いながら言った。

「あたくし函館へなんか帰りませんわ」

「へ？」

「あの人、札幌を発《た》つ前に、もう一度あなたとゆっくり連絡する筈《はず》だと思うの。こんな短い間に、お話が全部すんでるわけはないわ。電報を出しに行って、かえってくるまで、丁度十五分でした。あたくしとのいきさつや、あたくしの始末を、あなたにお話するだけで十五分は十分たってしまうわ。それに、いつあたくしがかえるかと思って、おちつかなかったはずでしょう。熊狩りの打合わせなんか、出来たはずがないわ。いいわ。あたくし、これから何日でも、あなたと離れないでいて、あの人をつかまえるわ」

「こいつはおどろいた」

ふつうのお嬢さんだったら、前後不覚に泣き出すところである。彼女の稀代《きたい》な女丈夫ぶりにあきれた野口は、こんなお嬢さんなら熊の一匹や二匹は仕止めそうだとまじめに思った。

「今日は、どうせお仕事はなさらない御予定でしょう」

「何分、友情のため、やむをえず」

「もしあたくしがむずかって、仕方なしに函館まで送っていらしたら、まる二日サボるおつもりだったのね」

「それでもクビにならない自信があるもんですからね。今のところ、夏枯れで、地方のニュースは何もないんです。きちがいが火の見櫓《やぐら》に上って下りて来なかったり、熊が小さい町へあらわれてぼんやり汽車を眺めていたり、じゃがいもの品評会があったり、その程度のことで、紙面をなんとか埋めて暮らせばいいんですからね」

「あなたったら、ずいぶん情熱がないのね」

何のことかわからない野口は、また面喰ったような顔をした。

「ともかく今日一日は、あなたについて歩くわ。映画でもごらんにならない？」

と夏子が言った。

2

二人が狸小路をぶらぶら歩いて、映画を見たり、中食をたべたりしているあいだ、野口が鼻歌をひっきりなしにうたうので、夏子はおかしくなった。彼がたのしがっていることは明白である。はじめから野口は、夏子の鞄を持って、しかもそれを持たしていただいていることがうれしさに、大まかに振ってあるくので、夏子は閉口した。

「こわれものが入っているのよ。取扱注意よ」

「こわれものって何ですか」

「言えないわ、そんなこと」

夏子は思わせぶりが巧みである。

映画は二流の西部劇であった。狸小路の二三軒の映画館のなかから、夏子が選択したのである。彼女は西部劇が大好きだった。目を細めて、ピストルの音をきいた。横でつまらなそうにどんよりした表情で画面を見ている野口を、急につついて、こういった。

「あそこ、今すごいところよ。見のがしたらだめだことよ」

野口がつまらなそうに見えたのは、つまり彼が幸福だったからである。

二人は夕ぐれまで街をさすらい歩いた。さて見るものもなくなった。野口は日のあるうちに、楡《エルム》の木かげの美しい植物園や、明治十四年に米人ビーボデーがもってきた時計をすえた、名高い時計台や、やさしい小川の流れる北大の庭や、そのポプラ並木や、ボオイズ・ビイ・アンビシャスの碑や、明治時代の朽ちかけた木造建築の教室や、大ていの名所を案内しつくして、バスガールそこのけの黄いろい声で、うんちくを披瀝《ひれき》してきかせたからである。

夕空は大そう美しく、灯《と》りだした街灯の上に、淡紅の墨流しのようなゆるやかな模様をえがいていた。夏子は幻に、アンジェラスの鐘の音をきいた。本当なら、今ごろは、彼女はすでに修道院の扉の中へ入っているはずである。天国の美しさ、現世の美しさ、この美しい夕雲を見ていると、そんな差別は、かりそめのもののような気がされる。

夜になった。さすがに心ぼそい夏子は、大人しくなった。ゆき交う市内電車を見ているうちに旅愁を感じた。ああ、今、ここに毅がいてくれたら！

もう一つつまらない映画を見て時間をつぶした二人が、夜のねぐらを求める段になると、野口はばかに気をつかって、彼女のための宿の世話を申出たが、毅に会いたい一心の彼女は、そんな申出にも、彼女を遠ざけておきたい野口の底意を疑って、どうしても野口のアパートへついてゆくと言い張った。

「だって汚ないとこですし、それに男一人のアパートに、お嬢さんが」

「どうしてそんなに邪魔になさるの。おかしいわ」

こう言いながら、夏子も不安にかられて、自分の細い手頸《てくび》を片手で握った。夜になると大そう冷えてくるので、手頸は冷たかった。

『この男、無邪気そうな顔をしているけれど、これが却ってワナかもしれない。ほかに宿を世話する顔をしてみせるのは、思わせぶりかもしれない。あたくしが疑って、アパートまでついてゆくのを望んでいるのかもしれないわ』

十一時にちかかった。夏子は心細さから幾分かんしゃくを起して、どうしてもアパートへついてゆくと主張した。

野口はやむなく、北大前の小さなアパートへ案内した。二人は靴をぬいで下駄箱にしまった。階段の上り口に窓がある。そこから札幌駅の灯がみえる。

野口の部屋は、畳の上に机とチャブ台と本箱があるだけの六畳だった。その殺風景をごまかそうとして、壁に美術雑誌の複製のピカソなんかを、仰々しく額に入れて飾ってあるので、それがなおさら侘《わび》しさを深めている。彼は一人暮しでクセのついたらしい、世話女房みたいなチョコマカした足取りで、部屋をかけずりまわって、座蒲団や茶碗《ちゃわん》や放出のビスケットを出して彼女をもてなした。

夏子が泣きそうになって、こう訊《き》いた。

「ねえ、井田さんはもう札幌にいないの？」

そのとき札幌駅の汽笛がものがなしくひびき、それに息洩《も》れのするような蒸気の音がまじった。

「いや、まあ、いいです」

野口はどうしてか、彼女の顔をまともに見ない。寒くなったと云って、自分は大わらわにセータアを頭からかぶり、夏子にはレインコートを貸してくれた。

啄木《たくぼく》の歌集をもって来て、チャブ台の上にわざと景気よく置くと、家庭教師みたいにきちんと坐《すわ》って本をひらいた。声を出して、二三を読んだ。

「いいでしょう。僕大好きだ。あなた、啄木きらいですか？」

「よくわからないわ」

夏子がそう言ってから、あんまり愛想がないと思って、註釈《ちゆうしやく》をつけるように少し笑った。

野口が目を本の頁に固定したまま云い出した。

「本当のことを言います。あなたのカンに実は僕は舌を巻いているんです。十一時半に彼がここへ来る筈になっているんです。もしあなたが大人しく函館へいらっしゃれば、僕はここへ還《かえ》って、彼を待つし、もしあなたをどうしても送り届ける必要が生じたら、この部屋へ置き手紙をしておく手筈になっていたんです。僕はどちらもやりませんでした。情ない友達だと彼は思うでしょう。仕方ありません。人間って、思うままに行動できるものじゃありません。……あと十分。十一時半まであと十分。……（彼は水泳競技のアナウンサーのように昂奮《こうふん》していた）……この間に言っちまいます。何故かというと、ええと、僕はあなたが好きなんです。いや、今日一日で、好きになってしまったんです」

彼は深くうなだれて、拳《こぶし》で頸のうしろを、乱暴に叩《たた》いた。彼の恋心はそこに宿ったらしい。

夏子は喜びのために胸がはちきれそうになって、目の前の不器用な青年が自分を恋していることなんか、忘れてしまった。そしてコンパクトを出して、丹念に顔を直した。

「あたくしもあなた好きよ。いいお友達だと思ってよ」

そんな決り文句しか口から出ない。

その十分がどんなに長く感じられたことだろう。

ドアが叩かれた。毅が入って来た。夏子は立上り、毅は戸口に立ちすくんだ。

「何だって、君、ここに」

彼はおどろきの表情を室内に移し、黙ってうなだれている野口の若禿《わかはげ》の額に移した。急に青年の顔は硬《こわ》ばった。

この毅の誤解を察した夏子は、とっさに誤解を解かねばならぬと感じた。

「あたくしがしつこく野口さんについて来ましたの。きっとあなたにお目にかかれると思って。決して野口さんには罪はないの」

こうした弁護は、ますます毅の顔を硬ばらせた。

「本当だよ。ゆっくり話すよ」と野口が言った。

「わかった。……もういいよ。明日の朝、僕の宿へ来てくれるかい。狩の話をしようにも僕は今おちつかないよ」

毅が、すぐさま釈然としてこう言った調子は、男らしいこだわりのないものだったが、彼のあとに黙ってついて出た夏子が、毅の宿につくまでのあいだ、毅は一言も喋《しゃべ》らなかった。

『この人は嫉《や》いているんだわ』

そう思うと、夏子はこらえようのない嬉《うれ》しさを感じた。ふかぶかと息を吸い込んで、美しい星空を見上げた。もう一度心の中でこう呟《つぶや》いて、その幸福をたしかめた。

『この人は嫉いているんだわ！』

第十章　狩の旅第一日

その晩、読者が考えるような葛藤《かっとう》は、幸か不幸か、起らなかった。毅は徹底的にあきらめ、夏子は勝ったのである。

毅はアパートの近くの小さな連れ込みホテルに一夜の仮の宿を決めていた。そこで深夜、客の男と連れ立って来た美しい女が、もう一ト部屋とってくれと言い出したときには、寝ぼけ眼の支配人は目をこすった。

夏子は毅の部屋の鍵《かぎ》もあずかると、この逃げ足の早い青年を今度こそとり逃がさぬように、部屋の外から鍵をかけて、自分は別の部屋へ行って、ぐっすり眠った。朝早く野口が訪ねて来たので、夏子は毅の部屋を開けてやった。若い囚人は、カーテンも閉めないで、朝の光を顔に浴びて、健康な逞《たく》ましい寝息を立てていた。光は枕もとに立てかけた猟銃の革のサックを、つややかに照らし出し、こんな汚れたホテルにふさわしくない純潔な光線で、室内を充《み》たしていた。壁には泰西名画の複製の裸婦が、暗い森かげの泉をのぞくふりをして、じっと毅の寝顔を見下ろしていたので、夏子は嫉妬《しっと》を感ぜずにはいられなかった。

朝の食卓をかこんで、三人はこだわりなく話した。変化と云えば、もはや夏子が、この熊狩りの計画の談合に、はっきり一枚加わっていることであった。

めざす牧場は、丁度支笏湖を央《なか》にして、蘭越コタンの反対側である。野口の紹介状をもらって二人は札幌駅を発《た》ち、牧場にちかい白老《しらおい》駅へむかったが、駅へ見送りに来た野口は、人なつこい動物のようなうるんだ目つきをして、車窓から手をさし入れて、

「夏子さん、握手をしてください」

と言った。夏子が握手をすると、手に何か小さなものがのこっていた。汽車がうごきだした。手旗信号みたいに、両手を活潑《かっぱつ》に振って見送っている野口の姿が、小さくなった。

「何をくれたんですか？」

「おせん別よ」

夏子は掌をひらいてみせた。小指の先ほどの、象牙《ぞうげ》の熊があらわれた。

「いい思い出だわ」

夏子はその熊を襟にさげた。

「何の思い出？」

「この熊みたいに、ちっとも怖くない思い出よ」

と夏子が言った。今では彼女の心は野口に憐《あわ》れみと懐しさを感じた。『都会の青年なら、こんなおせん別はくれやしない』と思ったからである。

白老で降りると、二人は牧場へ行く徐々の登り道を二キロあまり歩いた。周囲はいちめんにいじけた灌木《かんぼく》の生えた草原である。やがて青空を区切って、W牧場の丸木の門柱がみえてくると、急に目に映るけしきが青々としてきた。牧草が牧場の柵《さく》をこえて、あたりに生い茂っていたのである。

外国の絵にあるような、不規則な素朴な木柵の中に入ると、さわやかな蹄《ひづめ》の音が近づいた。右手の円馬場の一角から、若駒に乗った馬丁があらわれた。ダービーへ出すための訓練である。馬は血走った目をして、息づかい荒く、ときどき首を振って銜《はみ》の金具を鳴らしながら、みるみる二人の前から遠ざかり、楕《だ》円《えん》形の中心の木立のむこう側に隠れてしまった。

そのとき、けたたましい鴉《からす》の鳴き声が二人をびっくりさせた。牧場主の家へむかう道のまんなかに見事な楡《エルム》がそびえ立ち、その枝にむらがっているおびただしい鴉が、――それはものの二百羽ほどもあった――一せいにとび立ったのである。

牧場主の平たい家と納屋と、その傍らの美しい白煉瓦《しろれんが》のサイロが徐々に近づいた。出てきた主人に野口の名刺を見せると、主人は禿《は》げた頭をなで上げて嘆息しながら云った。

「ああ、もう一日早ければ……」

案内された裏手の草原に二人が見たものは、夏の日にはやくも凝固しているが、草から草へ点々としたたっている血潮であった。

第十一章　御褒美は事成るのちに

1

……牧草は、もう赤黒くなった血に染っていた。二人はその前に立ちすくんだ。

そこは牧場のはずれの、深閑とした草深い谷間である。きょうも夏の光がいちめんにふりそそぎ、鬼百合《おにゆり》が二三本、威丈高な様子で、大輪の花をひらいている。その一本は根本から折られ、花弁の白いところにも血がついている。

「そら、そこにも、……この血のあとを追って行ってごらんなさい」

と気のよさそうな、こんな職業にふさわしからぬ、胃弱らしい体格の牧場主が言った。

「谷を上って行ったのね」

「そうです。さっきのところで、臓物のうまそうなところを喰《く》って、のこりを引きずって行ったのです」

三人は草の折れ伏しているあとを辿《たど》って、谷を上り、はんのきの林の中へ入った。

草のあいだに、牧童の焚火《たきび》をしたあとらしい裸の土の部分がある。

「足跡だ」

青年が土にひざまずいて、それをしらべた。夏子もその大きな足跡を見守った。

「まあ、四本指だ」

「例のやつですね」

足跡には、どう数えても四本しか指がない。重い荷物があったために、爪先は土にかなり深く喰い込んでいるが、のっぺりした足の裏のあとの先端に、鮮明な四本の指あとがあるきりであった。

しばらくゆくと、ナラの大木の根本の苔《こけ》が、あたりに小さい塊になって飛び散っており、そこら一面の土が、乱雑に掘りちらかされていた。夏子は、

「あ!」

と云って、顔をおおった。

土にまみれた馬の頭が、悲しげにいななくように歯をむき出して、白く曇った目をみひらいて、半ば埋もれていたのである。大きな肋骨《ろっこつ》も土からなまなましく現われている。

「やりやがったな」

「惜しい馬でした。可哀想に。当歳駒の子をかばってやられた母親です」

「どうして逃げなかったんでしょう」

「熊の匂いを知らなかったんですな」

毅は林の奥を見透かすようにした。どこまでも、枝々が交叉《こうさ》して、奥のほうは淡緑の一色に溶け入っている。蟬が鳴いている。夏子は馬の死骸《しがい》から目をそらして、青年の頰が、目前の怒りよりも、烈しい怒りの回想のために紅潮してゆくのを見ていたが、その目の光は遠くの何ものかに吸い寄せられて、夏子の存在の一かけらも彼の視野には宿っていないことが、夏子自身にもはっきりわかった。しかも夏子には、何故かそれが快かったのである。

毅は思い出したように、煙草をとりだして牧場主にもすすめると、事務的な口調で、きびきびと質問した。夏子は秘密会議に外ながらたずさわっている女秘書のようなまじめな顔つきになって傾聴した。

「アマッポはやりませんか？」

アマッポというのは獣の来る道を扼《やく》して邀撃《ようげき》する原始的な据え銃のことである。

「アマッポもいいですが、狩猟法にひっかかりますからな。家の牧場は、そういう真似はしたくないのです。現に去年も、アマッポで人死が二三あったそうですな」

「野口君からもききました。祭のかえりの青年が、酔っぱらっていて、『危険』の札に気がつかなかったので、射たれたんだそうですね」

「そうです。アマッポはよろしくない」

――こんなことさえなければ、アマッポは簡便な、伝統的な方法であった。熊はたべのこした馬を、こうして穴に埋めたところへ、現場に必ず再び現われるという殺人犯のように、もう一度やって来ることが多いからである。尤《もっと》も忘れてしまって、やって来ないことも屢々《しばしば》である。獣たちは人間よりもよほど恬淡《てんたん》で忘れっぽいたちだとみえて、リスは忘れ木の実で森林をつくるとさえいわれている。

結局、二人は牧場主の家に泊めてもらって、熊のまた来る機会を待つことになったが、その晩、牧場主の一家と共にとった食事は、大そうおいしいものだった。

食堂の鴨居には、賞状を入れた額が、電灯の影を宿して光っていたが、目を寄せてみると、こう読まれた。

北海道　森山幸一

名誉大賞牌《はい》

ホルスタインフリーシアン種牡牛《おうし》

（サーホームステッドデコール十二世）

審査ノ成績ニ依リ前記ノ褒賞ヲ授与ス

大正三年七月十日

東京大正博覧会総裁
大勲位功二級　載仁親王

――この乳牛と親王の組合せは、いかにも平和なゆたかな時代の日本をしのばせた。親王様には血統連綿たる牡牛ののびやかな風格がお気に召されたに相違ない。

森山氏の家族は、奥さんと三人のにぎやかな子供とであった。子供たちはめずらしいお客様にはしゃいでいた。毅の贈物のチョコレートはかれらを有頂天にさせた。包紙を大事にぬきとって、それを作りかけの木造船の外張にするために、みんなで早速抽斗《ひきだし》へしまいに行った。

森山氏は熊を半分運命のように思って、あきらめていた。おかからのように山ほど紙に盛った胃散を呑《の》んでしまうと、まあ仕方がない、税金にとられたようなもんだ、と言うのであった。都会育ちの美しい奥さんは、旦那《だんな》様の意見に、いちいち声を立てて笑った。そこで夏子と毅もちっともおかしくないのに、笑わなければならなかった。笑うたびに、奥さんはその豊かな胸もとを気にして、しきりにセルの着物のえりを合わせたが、一番下の男の児は、もう三つぐらいなのに人間のお乳の味をわすれかねている様子だったのである。

「さあ、奥さま、もう一ぜんどうぞ」

こう云われて、はっとした夏子は、さっきから何度も自分が奥さまと呼ばれて、気づかずにすぎていたのを思い出した。見ると、毅は平然と、ごはんを搔込《かきこ》んでいる。すでに習慣が出来上ってしまっていたのである。

2

その晩、毅は、「現場」にいちばん近い牧夫小屋で寝《やす》ませてもらうことを申出た。牧場主は三人の牧夫をつけて上げましょうと親切に言ってくれたが、

「奥さんは、母屋でわれわれと一緒におやすみになるんですな。確かにお預りします」

と森山牧場主が言い出すと、夏子はまことにはっきり辞退した。

「私も山小屋へ泊らせていただくわ」

毅は危ないと言って懸命に引止めたが、いくら言ってもきかないので、怒るふりをして目でたしなめた。一瞬睨《にら》めっくらした若い男女は、男のほうが簡単に負けて笑い出した。

「知らないぞ。たべられて、あまりを熊に、『人間の女』の缶詰にされちまうぞ」

と毅は言ったのである。

三人の牧夫と小屋へ赴くその夜道はすばらしかった。星は満天にかがやき、虫がはやくも牧野いちめんにすだいていた。夜気は冷たかったので、毅はジャンパーを脱いで、夏子の肩にかけた。彼の両手が彼女の肩に羽織らせたジャンパーを、冗談めかしく大げさに一叩《ひとたた》き叩いた。夏子は熊の掌を感じた。ほとんど彼女は喰《た》べられたいと思ったのである。

牧夫たちは村田銃を背負った上に真新らしい毛布と枕を担いでいた。声をあわせて、ひくい声で歌を歌った。名高い松前追分である。

「忍路《おしょろ》高島およびもないが、
せめて、せめて歌棄《うたすつ》磯谷《いそや》まで」

かれらの黒い素朴な銃口はその肩の上で、むなしく星を狙っていた。

牧人小屋へつくと、例の毛布や枕は、夏子と毅のためのものだとわかった。かれらは、いろりに少し火を焚《た》いて、毅のふるまった焼酎《しょうちゅう》で好いきげんになると、そのまま敷板にごろ寝をしたのである。

二畳の破れ畳の上に、二人の毛布の床がぴったりと寄せて敷かれていた。二人は黙ってその床にもぐり込んだ。

彼女は寝つかれない。夜のしじまの中で、梟《ふくろう》が鳴き、林のざわめきにまじって、潮のように虫の音が遠くなり近くなりした。風が出てきたのである。板戸一枚隔てた二人の牧夫のいびきがきこえてくる。二人というのは、最初の当番の一人は、小屋を出て、あたりを見廻《みまわ》りに行ったからである。

「もうおやすみになった?」

夏子がそう訊《き》いた。

「ううん」

毅は寝返りを打った。さっき見たものの劇烈な情景が、毅の心を湧き立たせているのがわかる。彼はじっと耳をすましている。獣のように。……そして森の奥で、あのどうもうな獣もじっと耳をすましているにちがいない。

夏子は急に心細くなった。手をのばした。毅が自分の胸の上にのせている指先にふれた。こんな場合、どこまでが媚《び》態《たい》と誤解されずにすみ、どこまでが安全であるかという確乎《かっこ》たる判断力の持合せが、夏子になかったのは致し方ない。感情のただえ燃え立っている青年の手は、彼女の手を強くつかんだ。彼は身をもたげた。

「だめ……だめ……」

針のような鋭い小さい声で夏子は拒んだ。このとき接吻《せっぷん》一つゆるさなかったのは、賢明だったと云わねばならない。

青年の烈しい目は闇の中から彼女を見つめていた。夏子はもしかすると上野駅頭で彼の目を見た瞬間から、この瞬間を予感していたのかもしれないと思うと、自分自身にひどく腹が立って、一生けんめいにこう言った。

「だめ……、だめ……、ね、熊を仕止めたらそのときね。それまでは、絶対にだめ」

二人の結ばれた手は、しばらく揺いでいたが、青年がやがて枕に頭を落すと、その掌の力もゆるんだ。夏子は彼の手が枕もとに立てかけたミットランド銃にかかるのを見た。

『まあ、どうなさるおつもりだろう』

しかしその力強い腕は、黒光りのする銃を二人の床のあいだにおくと、ゆるやかに壁の方へ身をそむけた大きな背中だけが夏子の目にのこった。つまり銃は、例の騎士道伝説における剣の役割を果したのである。

第十二章　閑日月《かんじつげつ》

……とはいえ、夏子はほとんど寝つかれなかったが、二時間交代で男たちが見張りに立ち、最後に毅が夜明け前に起されるまで、彼のすこやかな寝息はすこしの乱れもなく、却《かえ》って夏子に物足りない思いをさせたほどであった。

夜が明けた。毅がかえって来た。夏子はやかましい小鳥のさえずりで目をさましたような顔をして、身を起した。毅は銃を自分の床の上にどさりと置くと、こう言った。

「とうとう来なかったね」

「残念ね」

「顔を洗いに行こう」

「どこへ？」

「近くに川があるんだ」

二人はあかつきの牧野へ出た。すきとおるような冷気である。草はしとどに濡《ぬ》れ、霧が、ところどころ濃く薄く立ちこめていた。小鳥が小学校の庭の悪戯《いたずら》小僧のようにやけに騒々しくさえずっているばかりで放牧の牛馬の姿もそのあたりには見えなかった。

半ばしおれて咲きのこっている月見草を、夏子が摘んで髪にさした。青年は体操のようなことをしきりとやりながら歩いたが、それはつまり髀肉《ひにく》の嘆《たん》をかこったのであろう。

霧の中で水音がしだした。毅は夏子の手をとって斜面を下りた。川原の石の上に両足を支えて、さきにうがいをしてみせ、顔を洗ってみせた。夏子も真似をした。水は冷たいことが刃のようである。

二人はそこで朝の接吻を交わしたが、それはまことに自然に運ばれ、口を潤おした清冽な水はお互いの唇にゆきかよい、ゆうべのような息苦しい雰囲気はみじんもなかった。

「僕はきのういけなかった？」

毅がそうきいた。こんな気弱な愚問は、夏子は大きらいである。

「ううん」

「僕は目下、考えていることと云ったら、熊のことばっかりだからね、君の言ったことは尤《もっと》もだ。だってそうだろう、熊の関心が五〇パーセントとしたら、あとの五〇パーセントで愛されるのは、君もいやだろうからな」

「そんなこととちがうのよ」

「じゃあ……」

「ううん、あなたの仰言《おつしや》ること、みんな見当ちがいだわ。五〇パーセントなんて気兼ねなさらなくていいの。今あなたは百パーセント熊のことを考えて下さっていいの。それだからこそ、あたくしあなたが好きなの」

「もしかすると、君、熊の廻し者じゃないだろうな」

「熊娘って見たことある？」

「むかし浅草の見世物にあったんだろう」

二人とも「熊娘」は見たことがなかった。戦争中に育った彼等は、畸型《きけい》をめずらしがるような呑気《のんき》な時代には生れあわせていなかったのである。

一同が母屋にかえって森山氏にねぎらわれ、冷たい牛乳と熱い味噌汁《みそしる》とをつけた奇妙な朝飯を振舞われると、夏子は疲れが出てしばらく別室でうとうとした。起きて、毅の名を呼んだ。どこにもいない。彼女は胸さわぎがして、牧場へ出た。

昼ちかい快晴の空である。太平洋の方角にふくよかな横雲が見えるほかには雲がない。母屋からものの五百米もある入口のほうへ駈《か》けると、追い馬場のナラの木の柵《さく》によりかかっている毅の姿が見出《みいだ》された。その雄大な半マイルのトラックを、さ来年ダービーへ送られる若駒が、きのう来たときに見たように一人の騎手の乗った馬のあとを追って、鞍《くら》もつけず、生れたままの姿で疾駆していた。毎日三哩《マイル》の追い運動が日課になっているのである。

夏子は毅のそばへ近づいた。青年はふりむいて微笑した。

軽い砂埃《すなぼこり》が舞って、何周目かの誘導馬が駈けて来るのが見えた。乗手の着ている青のはげたシャツが風にひるがえっているのが見える。近づくにしたがい、馬のあらあらしい呼吸、緊張した耳、血走った目がはっきり見える。しかし美しいのは、これにつづく四五頭の裸の若駒である。生れた年の十二月にすでにダービー登録をすませたこの馬たちは、自分たちの天賦の力と美しさに酔い、そのつややかな汗ばんだ毛並をかがやかせて、疾走する音楽のように二人の目の前をとおった。

「あの馬たちは、熊に殺されるような心配がまずないだろうね。弗箱《ドルばこ》だから、特に大事にされているんだ」

そう思ってみれば、この若駒たちには、ちょっとブルジョア学生のような安心しきった生きのよさがあって、見ようによっては、大へん人工的な脆弱《ぜいじゃく》な姿にも見えた。かれらはスポーツに凝っているようにみえるのだった。

「昼間は何もすることがないのね」

あくびの出かかった口をおさえて、夏子が言った。

「そう、猟師にはどうしようもない暇な時間があるんだね」

「あなた退屈することあって」

「別にないな。東京にかえれば、勤めもいそがしいし」

「あたくしも決して退屈しないの。あたくし退屈する人って、きらい」

「だってそれは性質にもよりけりさ」

「退屈する人は、どこか退屈を己惚《うぬぼ》れているようなところがあるわ。夏子、ちっとも退屈しない。……いやあね、あなた、今、退屈したような顔をなさったわ」

「いや、ちょっと君のことを考えていたのさ。君のパパやママのこと」

「いいったら、そんなこと考えなくても。今朝も電報打ったわ。毎日打ってやるの。そうすれば、湯の川に釘付《くぎづ》けにされちゃうから、大丈夫だことよ」

毅はこの名案におどろいたが、夏子のかずかずの小さい陰謀が、丁度彼女が時々やる小さい慈善行為のように思われた。女から持ちかけられた恋は大抵男をうんざりさせるものであるが、毅の熊に対する情熱を、うまく計量して、それに比例させて毅の背中から忍び入って来ようとするそのふしぎな情熱の企《たくら》みにはつきせぬ興味を持たされて、今では毅は、自分が追っかけられている速度と、追いかけている速度と、二つの同じ速度に支えられていないと、両方が不安になるような気がしだしていた。

彼は丈高いエルムの木かげに腰を下ろすと、牧場主の家の赤レングヮと、白いサイロとその前のポプラ並木との美しい景観を目に見、たてつづけに吠《ほ》えているシェパードの吠声をきいた。だしぬけにこうたずねた。

「ゆうべ、熊を仕止めたら、そのとき、といったのはどういう意味？」

「…………」

「結婚すること？　それとも」

「もちろん結婚すること」――夏子の答は身も蓋《ふた》もなかった。しかしその情緒のある白い手は、牧草の上をゆく黄揚羽蝶《あげはちょう》を追いながら、何か他愛ないよそごとを考えているようでもあった。

二人のうしろを一台の自転車がとおった。またしてもカラスの群がとび上る、ざわざわした野暮な羽ばたきがきこえた。ふりむくと、中年の頭の半ば禿《は》げた客である。巻脚絆《まききゃはん》がずれて足頸《あしくび》の上に、汚れた絞りタオルのように丸まっている。

自転車が光りながら遠ざかる。母屋の前に出ていた森山氏の前にそれがとまる。二人が二言三言話し出す。牧場主のオーイという呼声で二人は駈けてかえった。

「昨夜、山のオヤジめ、となりの牧場へ出たそうです。となりと云っても二里むこうですが。馬を二頭とられたそうだ」

と安堵《あんど》のうかがわれる調子で、牧場主が言った。

第十三章　思わざる神の導き

1

失踪《しっそう》のあくる日についた電報で、湯の川の三人は考え込んでしまった。その朝、修道院へ事のてん末を報告に行ってお詫《わ》びをした上、宿へかえって来ると、電報が来ていたのである。

「こりゃあ、どうしたもんだろうね」

「もしこの、ユクサキザ　キデ　ユノカハアテデ　ンポ　ウヲウツ、という電文が本当なら、湯の川を離れるわけにはまいりますまい」

いちばん冷静な母が、

「そんなことございませんわ。札幌からここまで二、三時間で電報がついておりましょう。それならここから札幌までも、おなじ時間で電報がつく筈《はず》ですわ。番頭さんにお金をやってよく頼んでおいて、ここからすぐ又電報を打ってもらえば、あたくしたちがどこにいたっていいわけですわ。そのお役目を番頭さんでなくて、お姑《かあ》さまか、お義姉《ねえ》さまにおねがいすれば、一そう安心ができるわけだわ」

「まあ、わたしが一人でここにおいてきぼりになるんですか」

その危険を最も感じた祖母が反対した。

「わたしはいやです。いやなこったよ」

「わたしもそれは御免ですよ。夏ちゃんの跡を追って、野こえ山こえ、氷山の果てまで行くことはいといませんけどね」

「それじゃ私に残れと仰言《おっしゃ》るの。母親が安閑と残って、おかあさまやおねえさまのような御老人に夏子の跡を追っかけていただくことなんかできませんわ」

「わたしは別に老人じゃないよ」と六十七歳の祖母は言った。「わたしが何で年寄りなものかね。へんな言いがかりはよして頂戴《ちょうだい》」

「もうもう喧嘩《けんか》はよしましょう」――と万事事なかれ主義の伯母《おば》は、半分泣声で、洟《はな》をすすりながら言った。「わたし一人ここに残ります。夏ちゃんが帰らなかったら、申訳に、わたしが代りに修道院へ入ります。そうして永久に出て来ません。あなたも、お思い出しになったときに、お二階のベランダから逸子のいる修道院のほうの空を眺めて下さいましね」

「いいことを云っておくれだね。夏子にもしものことがあったら、わたしも修道院へ入りますよ」

母が向っ腹でこう言った。

「むこうでお断りでございましょうよ」

「もし断られたらどうしよう、可愛い孫には旅先で別れる、嫁には死ぬまでいじめられる」

「人ぎきのわるいことを仰言るのはおよしあそばせ」

三人は頭が混乱するたびに風呂《ふろ》に入った。そこで指先にみんな皺《しわ》が寄ってしまった。晩ごはんのときには、祖母がお酒を注文した。三人でぶつぶつ云いつづけながら、一時間もかかってやっと一合呑《の》んだ。

祖母がそれから意固地に編物をはじめたが、編んでいるのは夏子の靴下で、これは一種のデモンストレイションである。夕刻、東京からの電報為替《かわせ》がついていた。宿を発《た》つのに心配は要らなくなった。

今夜もまた沖につらなる灯火の首飾、イカ釣の漁火《いさりび》が窓外に眺められた。波音が高い。宴会の遠いざわめきのおかげで、この部屋の沈黙は一そう目立った。伯母がしくしく鼻を鳴らしながら、トランプの一人占いをやっていた。母は仕方がなしに、たずさえて来た小説を読みだしたが、一向捗《はかど》らない。途中で止まってしまった映画のフィルムのように、家を出た主人公の青年が飛び乗った愛馬が、いつまでも同じところで足踏みしている。

「上った、上った」

と、すっとんきょうな声で伯母が言った。

「幸先がいいわね。一回で上った。夏ちゃんはきっと見つかるわ」

祖母も母も返事をしない。間が悪くなった伯母が、鞄《かばん》からビスケットを出して来て、大して大きくもないビスケットを膝《ひざ》の上にハンカチをひろげて、両手で四つに割って小さくして喰《た》べた。

祖母が黙って片方の手を出した。伯母がその手に一つのせてやると、反抗的にそのまま口にほおばって、口の中でだんだん溶かしながら喰べた。粉をたくさん編みかけの靴下にこぼしてしまった。たべおわるとこう言った。

「それでも今日の教母さまはいい方だったね。あれで本当に安心した」

これが和ぼくの文句であった。母も合槌《あいづち》を打たざるをえない。話が進んで、三人でともかく札幌へ行ってみようということになった。留守をたのむ番頭への心附のことで、また議論になった。祖母は五百円でいいという。伯母は五千円やらなければ心配だという。結局二千円で折れ合った。

呼び出された番頭は、二千円の心附は悪くないが、三人からしつこく念を押されるので閉口した。

「すぐ電報を札幌の宿へ改めて打って下さいよ」

「一刻を争うんですからね。おねがいね」

「万が一にも忘れないで下さいましよ」

「大事な大事な娘の安否をしらせる電報ですからね。よござんすね」

番頭は、万一忘れでもしたら、この三人に祟《たた》り殺されることは確実だと思った。

そのときこんな計画性のない感情ばかりで動いている三人の耳に、大へん理性的な福音がきこえて来た。東京の父親から至急報の電話がかかったのである。

「旦那《だんな》様、夏子から電報がまいりました」

こう言いだした母親は、一人で三通話も喋《しゃべ》って、相手に一言も発言するひまを与えない。

「よろしい、わかりました」と妻のお喋りには馴《な》れている重厚な声が、相手のお喋りの尻拭《しりぬぐ》いをするようなゆったりした調子で言った。

「いろいろ私も考えてみたがね、そっちに有能な私立探偵がいるかどうか疑問に思う。そこで北海道の地方新聞の社長にわたりをつけてみたところが、札幌タイムスという新聞と、函館タイムスという新聞を両方経営している男が、私の親友のまた親友で、いろいろ便宜を計ってくれることになった。札幌へ行きたければ、行くのもよろしいが、札幌では軽挙盲動をせずにだね、札幌タイムスの編集長をたずねなさい。社長から電話をかけてよく頼んでもらうからね。この社長は、今度の選挙の下準備に東京へ来ておるのだ。私から政界の人間に紹介してやる関係が出来たので、『お嬢さんの事件はお任せ下さい、しかも秘密は厳守するから』とこういうのだ。よろしいかね。社長の名は松村《まつむら》、編集長の名は成瀬《なるせ》、場所は札幌で下りてきけばすぐわかる」

「まあ助かった。これで夏子も大丈夫だ」

「まだ安心してはいけません。確実かどうかわかったものじゃない」

「そんならもっと確実なところへ、どうして手をまわして下さいませんの」

「ああ、もううるさい、わかった」

「うるさいとは何でございます。娘の大事な場合に」

受話器をかける音がして、長距離電話は切れてしまった。

姑《しゅうとめ》はこういう時に、世間の姑と反対の面白い反応を呈するのが常である。夫婦喧嘩がはじまると嫁に加勢する。息子の悪おちつきは、彼女の熱情的な趣味気質と合わないのだった。

2

ハイヤーが湯の川から函館駅へむかう道すがら、三人は何かしらうきうきとしていた。祖母は運転手に用もないのに話しかけ、伯母は一人でやたらむしょうに合槌を打っていた。

駅前の放出食料品店で、旅のためのお菓子を買う段になると、三人は丁度銀座の呉服屋で着物や半衿《はんえり》を買うときのような賑《にぎ》やかさになった。

「おかあさま、これにあそばせ。そのチョコレートは南京豆が入っているから、お噛《か》めになれないわ」

「これはどう。一寸《ちょっと》読んで頂戴。私は英語が読めないから」

「一寸、一寸、これがよさそうだよ。第一包紙の模様がいいよ」

「それはシャボンでございますよ」

この三人が一つの家で仲好《なかよ》くやってゆけるのは、ふしぎではなかった。

函館本線に乗ると、沿線の駅名の面白さにいちいち三人は声をあげた。『銭函《ぜにばこ》』とは愉快な駅名ではないか。その駅で汽車は、日本海に、石狩湾《いしかりわん》に別れを告げて、札幌へ近づいた。

市中のとある宿に腰をおちつけると、この街のどこかに夏子がいてくれるという期待が、三人をますます愉快にした。丁度同じ汽車で東京の有名なレコード歌手が到着したので、宿はごったがえすさわぎだったが、玄関には追っても追ってもつめかけるファンが奇声を発し、流行歌手はお風呂へゆくときに、その玄関先をとおるのが順路なのに、裏手の細い階段をこそこそ下りて、従業員風呂へ入っていた。さもないと、風呂場の窓から、狂おしいテッサリヤの巫女《みこ》たちにのぞかれるおそれがあったからである。

　松浦夏子の一家はわざわざ玄関先へ、流行歌手の到着を見物に行ったが、部屋へかえってからさんざんの悪評を並べ合った。

「あれじゃ御用聞きよりひどござんすね」

「ちかごろの娘はあんなのをさわぐのかしら」

「いくら声がよくたって、あれじゃあね」

「活動役者でも、むかしのリチャード・バーセルメスなんかは、よかったね」

　と祖母が葵《あおい》館でよく見た無声映画の役者の名を言った。

　午食《ひるしょく》をたべると、三人は旅のつかれにお午寝をしたが、祖母のいびきはひときわ素晴らしく、伯母も母もそれを夢心地に、昨夜汽車が内浦湾《うちうらわん》ぞいに走っていたとき、とある小駅できいた霧笛のひびきだと思いながら、眠りに入った。あの孤独な海獣の鳴声のような霧笛のひびきは、しかしこんなさわがしい、おばあさんとは不似合であった。

　夜汽車の疲れが出たとみえて、三人が三人とも、六時間あまりも寝てしまった。目がさめて窓をあけると、自動車のヘッドライトが近づき、狸小路のほうの空が、ネオンサインのために紅《あか》くみえた。

三人でぞろぞろ風呂《ふろ》へ行きがけに、帳場へ寄って、電報が来ていないかどうかを訊《たず》ねてみると、番頭は大そう詫《わ》びをいいながら、電報を手渡した。さっきの流行歌手さわぎでとりまぎれ、午前中に着いていたのを、今まで忘れていたのであった。

イマシラオイノチカクニキル」アンシンコフ」ナツコ
「まあ、もう札幌にいないんだわ」と母ががっかりしたような、半分安心したような声で言った。

「呆《あき》れたねえ」

三人は風呂へ行くのを中止して、部屋へかえって地図をひろげたが、幸い大した距離ではなさそうで安心した。

二度目の電報は、最初の電報よりよほど効果があった。これで夏子にこちらと連絡を保つ意志のあることは、たしかになった。余計な心労は拭《ぬぐ》われたのである。

そこで又しても伯母《おば》が、

「無事でいてくれるといいねえ」

と云いながら、めそめそしだすと、今度は祖母と母が共同戦線を張って、

「無事はわかっているじゃありませんか」

と怒るのであった。

三人の意見は、今すぐ白老へ追ってゆく必要はないという点で、同じであった。捜査本部を札幌に置く必要がある。例の札幌タイムスの編集長にたよって、その上で網を張ればよいのである。

「今日はもう新聞社はおしまいでしょう」

「明日の朝早くたずねてみましょう」

急にこんなのんびりしたことを言い出したが、結局、成瀬編集長に電話をかけて明朝の訪問を約することにおちついた。

その晩は、彼女たちが札幌へ来て、最初のゆっくりした晩であった。元気な一行は、風呂を出ると、狸小路へ散歩に出たが、物価がちっともちがわないので、買物はよした。二三日前、夏子が野口と二人で入った映画館の前を、そんなこととは夢にも知らずにとおった。

街の角で、とある洋品店から出て来た、白い上下のスーツの女のうしろ姿に、母が、「あっ」と言った。祖母と伯母もふりむいた。夏子にちがいない。髪型からしてそうである。

女はばかに颯爽《さっそう》と歩くので追いつくのは容易ではなかった。三人は狸小路の半ばほどを追跡したが、女は急に漬物屋へ入ってしまった。母の頭には、とっさのあいだに、夏子が男で苦労しているというみじめな想像がうかんだ。彼女たちは強烈な匂いのする漬物屋へぞろぞろと入った。女がふりむくと、すごい金歯である。笑っているのではない、口にしまりがないので金歯がずらりとみえ、書き眉毛《まゆげ》に、つけまつ毛をしている。その顔に睨《にら》まれて、三人の良家の夫人はぞっとした。

「いらっしゃいませ」

と云われては、買物をしないわけにはゆかない。祖母はとろろこんぶを三袋買った。

「そんなものをどうなさるの」

「これなら軽くて、東京へもってかえっても持ち重りがしないからさ」

犬好きの祖母は、宿へかえると、玄関先で出迎えた宿のポインタアに、とろろこんぶを一本引出して鼻先にぶらさげてやったが、客のおあまりで満腹しているぜいたくな番犬は、こんな干からびた御馳走《ごちそう》を鼻息で、すこし揺らしただけで、敬遠してしまった。

第十四章　友情の見せどころ

札幌タイムス社は、朝の十時に時ならぬお客様を迎えて時めいた。三人は成瀬編集長を相手に東京風の社交辞令を並べ立てたのである。一向本題に入らないので、ズボンのお腹が、機雷のようにふくれた成瀬氏は、（ここのおいしい日毎のビールが、親からもらったお腹とは似ても似つかぬ、こんなお腹にしてしまったことを、彼はいちはやく弁解したが）社長から長距離電話でくわしい依頼があったことを告げた。そこで彼女たちは、家庭の内輪話を他人に話すというブルジョア最大の辛労を、いくぶんか免除されてほっとした。

「はあ、何とも目的は申しませんで、きっとかえると云って、消えてしまったんでございます」

「お召物はどんな？」

「それがどれを着て行ったかはっきりいたしませんが、もってまいった洋服は、白い上下のスーツ、スコットランド縞《じま》のブラウス、青いカーディガン、薄鼠《うすねず》いろのズボン……」

この甲高いソプラノは、母自身はせいぜい内緒話の声のつもりでいるのに、編集長の席に近い椅子に坐《すわ》って、何も用がないので、原稿用紙に啄木《たくぼく》の歌をいたずら書きしながら、きくともなしにきいていた野口の耳に伝わって来た。

「青いカーディガン……、薄鼠いろのズボン……、いなくなったのが×日の晩、……おそらくその晩の函館本線、そうすると着いたのがあくる朝……」

忘れもしないその日である。野口は椅子からとび上った。

「編集長！　僕が知っています。その人、知っています」

成瀬氏はこの甚だ無能な青年が名乗りを上げる顔を疑わしそうに眺めたが、

「どこで見たんだ。云ってみたまえ」

と、氏が職業的な調子で訊《き》くと、その瞬間、野口は自分が早まったと感じた。自分が密告した形になれば、彼女はどんな不利に陥るか、自分に一生どんな悪印象をもつか、はかり知れない。しかしもうおそかった。云ってしまうほかはない。彼は早速、顔色まで変った三人の女に紹介されたが、彼があげた夏子の顔の特徴はいちいちぴたりと合っていた。

「まあ、それで一人でどうしておりました？」

「一人？」

「一人じゃなかったんですか、伴《つ》れは男？」

「は」

「は、ってどちらでございますの」

「は、男」

「まあ、男ですって」

「男だって？　まあ、誰だろう。どこの馬の骨だかわかりゃしない」

「こんなところへ来て、どんな男に引っかかったか、大てい想像がつきますわ。監督不行届かもしれないけれど、あっという間で、どうしようもなかったんだから」

愕《おど》きのあまり、彼女たちが少し日頃のたしなみを外れ、つつしみをなくしていたことは認めなければならない。こんな言草は、野口の正義感をいたく刺激した。

「お嬢さんのお連れというのは、決してつまらない男じゃありません。僕の友人です。立派な男です」

この一言は、みんなを正気に立戻らせた。

「まあ、これは失礼をいたしました。そうして娘は、その方とよほどお親しそうに見えまして？」

「ええ」——残念ながら、野口はそれを認めざるをえなかった。

「どこか静かなところでゆっくりお話を伺う場所を、お世話いただけませんかしら」

と母親が言った。成瀬氏は新聞社でたびたび利用するうなぎ屋へ電話をかけ、自分も責任上その席へ連なることになるので、はからずも職務時間中に呑《の》めることになった生ビールの味を考えて、唾《つば》を呑み込んだ。

うなぎ屋の二階座敷で、前途に曙光《しょこう》を得た三人は、短兵急な質問にも、まるで人の恋愛の噂をするときのような賑《にぎ》やかな熱心さを示したが、夏子と男との間柄を示す野口の次の証言は、一同をほっとさせた。

「朝、ホテルへゆきましたら、その連れの男は別室のカギをかけた部屋にとじこめられて、寝ていました」

育ちのよい奥様連は、女がカギを持っていれば、女の身に何事も起らないという結論を、忽《たちま》ち類推するのに吝《やぶさ》かでなかった。

第十五章　第二の狩

夏子の失踪《しっそう》の原因も、その目的も、コースも、わかってみると、今度は、このすばしこい小さな美しい動物をどうして捕まえるべきかについて、いろいろ三人は思い悩んだ。

「熊とちがって生捕りしなきゃならないんだから、事面倒だよ」と祖母が言った。

「縁起でもないことをすぐ仰言《おっしゃ》る」と伯母《おば》が不平をならべた。

それから祖母が、夏子がかえって来たら、何を買ってやろう、かにを買ってやろう、お祝いはどこでやろう、わたしは日本料理より中華料理がいい、そういえばこしばらく中華料理をたべないね、わたしはピータンがたべたい、などと言い出すに及んで、母や伯母は、編集長の手前を憚《はばか》って気をもんだ。それればかりではない。祖母のように手放しで安心されると、却《かえ》って不安にならざるをえなかったのである。

さっそくこの騒々しい会議は野口の派遣を議決したが、これは当然といえば当然のことであった。話のいきおいで、おしまいには野口に責任があり、彼の落度で、それどころか、彼の悪だくみで、夏子を札幌から逃がしたような言い方をされる始末であった。

野口は社命をうけて、札幌を発《た》った。二人がいるW牧場をめざして、白老で下りた。

その日はどんより曇った雨もよいの空で、夏とはいえ肌寒かった。緑ばかりがあざやかで、それが暗い夜のような木蔭を地面に作っていた。上り坂をしばらく行ってふりかえると、海にややへだたった線路を、際限もなく長いまっ黒な貨物列車が、風になびいている原野をつらぬいて、ひどくまだるっこしいスピードでゆくのが見えた。車体がほぼ、十箱入りの煙草のケースくらいの大きさに見える。

野口は、それでもかすかににじんで来る汗を拭《ぬぐ》いながら、この貨車に親愛の情を感じて、オーイ、と呼んだ。呼び声はこだました。それと一緒に、モーオ、という妙なこだまがあった。牛である。W牧場はそこから意外の近くだった。

彼は牧場の入口から、牧場主の家までの、長い道をとぼとぼ歩いた。草が道をおうて高い。白い美しいサイロが、白煉瓦《しろれんが》の塔が、ゆくてに見える。この中世紀の塔のような眺めは、いちめんの小鳥のさえずりの中で、奇妙な錯覚を野口に起させた。野口にはあの美しい夏子が、お城の塔に幽閉されているような気がしたのである。

牧場主の家の前で、急にけたたましくシェパアドが吠《ほ》え出した。野口は犬の前にしゃがんで、その鋭い長い顔をしげしげと見た。犬はきみわるがって、この珍妙な客と睨《にら》めっくらをしながら、うなりつづけたが、てっきりインタービュウをとられると思い込んだためであろう。

牧場主の奥さんが戸口にあらわれた。白い割烹着《かっぽうぎ》を着て、細面の顔が、すこし日《ひ》焦《や》けしているのが、かえってみずみずしい。

「まあ、野口さんじゃありませんか」

野口には、この春に「春の訪れ」という記事を書くために、カメラマンとここを訪問してから、いくらか懇意になっていた。

「はい、野口です」

「遠いところへようこそ。主人は今ちょっと役場まで行っております。まあお上り下さいませ」

「井田君が、うかがっておりましょう」

「ええ、奥さまと御一緒に」

「今、いますか？」

「いいえ、それがね、おとといの晩、隣りの牧場へいらっしゃいました。だって熊が、お隣りの牧場へ出たんですもの」

「お隣りって、すぐそこですか？」

「お隣りと云っても、二里先ですわ。さあ、まあとにかくお上り下さい」

上って牛乳のごちそうにあずかっているあいだ、奥さんが夏子を井田毅夫人と信じて疑わない口ぶりは、野口をすっかり憂鬱《ゆううつ》にさせた。

「本当にきれいな奥さんね。一寸《ちょっと》、神経質で、あれで中年になったら、すごいヒステリーになりそうなところもみえますけれど、お若いうちは、ああいう奥さんを持ったら、面白くてたまらないでしょう。それに東京風の近代的なお嬢さんのタイプを、ほんとうに永いこと見ないでしょう。女の私でも、目の保養をしましたわ。洋服の仕立のいいことね。よほどブルジョアのお嬢さんなのね」

女らしいこういう噂話には、讃嘆《さんたん》と反感とがまざり合っていて、夏子が必ずしも好意をもたれていないことがわかった。そうすると野口にはますます夏子が恋しくなり、同性のもっている反感が夏子の魅力に正比例することを、思わずにはいられないのである。

「これから一寸隣りの牧場へ行って来ます。急ぎの用なんです」

「まあ、いらしたばっかりなのに。お疲れでしょうに」

奥さんは、野口のそわそわしている様子を見て、一寸冷淡になった。彼が会いたがっているのは夏子であることを、女の直感で察したのであった。

第十六章　帰りなんいざ

1

Y牧場はW牧場よりもっと高地にある。そこへゆく道は終始上りである。W牧場を貫流する川ぞいにゆく道が近道と教わって、野口は咽喉《のど》が渇くと川に口をつけて、澄んだ水にのどをうるおしながら、川上へ向って歩いた。川はところどころに代赭《たいしゃ》いろの洲をあらわして、幾めぐりして野口を、上流の木深い沿岸へみちびいた。よく見ると、すばしこい黄いろの一線のある小魚が泳いでいる。ウグヒである。ウグヒはまた水になびいている水草のかげに、身を隠して動かずにいることもあった。

はじめて人に会った。二三人の少年である。葡萄《ぶどう》いろのシャツを着た一人は魚籠《びく》を下げ、あとの二人は肩に網をかついでいる。みんなはだしである。

「Y牧場はもうじきかね」

「ああ、もうすぐそこだ。もう一里ないよ」

と一人が言った。それではまだ、やっと半分来たにすぎない。

両方の森の中にやがて明るい光がこぼれて来て、空の一角に青空があらわれた。するとそれを待ちかねていたように小鳥が一せいに鳴きだした。そこらあたりから川床はけわしくなり、岩の間をたぎって流れる川水が、日の光をまぶしく散らした。

川から上ってゆく道が斜めについていて、その道に蹄《ひづめ》のあとがいっぱいある。

野口は靴が埋まるその土の柔かい勾配《こうばい》をのぼりだしたが、両方から覆いかかる木の枝が深い影を作っているところで、いきなり馬の長い顔に会って仰天した。馬が水を呑《の》みに下りてくるのである。彼は木の下枝につかまって道をよけた。三頭の馬が、威厳のある様子で、一歩一歩注意ぶかく足を踏みしめながら、彼の目の前をすぎて下りて行った。その月毛の肩の肉の暗い動きがありありとみえた。馬たちは一向野口を無視している。乗手も鞍《くら》もないこの大きな動物の自然の姿態には、何か神秘的なものがあった。

野口は勾配を上り切って、えぞまつの木立の間の道をとおった。すると目の前にY牧場の広大な景観があらわれた。北東の地平線上に、海抜千二十四米の樽前《たるまえ》山の、特徴のあるお椀《わん》をふせたような山頂が、煙ってみえた。

急にうしろの梢《こずえ》で、ギャアギャアギャアという声がして、羽ばたきがきこえた。このあたりに多いミヤマカケスである。

土地の起伏が牧草を大きくうねる緑いろの波のようにみせている彼方《かなた》に、やはり同じサイロの白い塔が小さく見え、その周囲に、厩舎《きゅうしゃ》や、二三の建物が、群落をなし、そこへ緩丘をつたわって一本の電線が、マッチ棒のような電柱に支えられて、ここからは見えないところから延々と伝わって来ていた。

野口は、それを見ると動悸《どうき》がした。

『あそこに夏子さんがいるにちがいない』

彼は自分の恋にのぞみがないので、泣きたくなった。牛のように、モーオ、と誰憚《はばか》らず、大声で泣けたらどんなによかろう。

新聞記者はたまらなくなって、牧場のまんなかを突っ切ってサイロを目標に駈《か》けだした。

風が耳に鳴った。そのとき風が鳴る声にまじって、彼を呼ぶ女の叫びがきこえた。

「野口さん！　野口さん！」

耳のせいだと思われたので、野口はかまわずに駈けつづけた。また牧草をわたる風のなかから、同じ声が呼んだ。

「野口さん！　野口さん！」

彼はおどろいて立止った。いつのまにか彼のうしろに、息をはずませて夏子が立っていた。野口はようやくのことでこう言った。

「やあ、僕、野口です。しばらくです」

この初対面のようなあわてた挨拶《あいさつ》に、夏子はまだ息をはずませながら笑って、

「どうしていらっしったの？」

「実は……」

「こっちにもお話があるのよ」

「実は……」

「私今ひとりで川原へ行こうと思っていたの。林の中で、むこうの道をとおる人を見かけたの。どうも牧場の人ではないらしいから、誰かと思って見に来たの。そうしたらあなただったの。声をおかけしようと思ったら、急に駈け出しておしまいになるんですもの。ひどい方ね」

「そうですか。僕はまた」と彼は汗を拭《ふ》きながら、遠いサイロの白い塔を指さして、「あそこにあなたが居られるとばかり思ったもんですから」

「あんななかにいたら、餌にされちゃうわ」

「いや、僕は、あのそばの家の中に……」

野口の気のきかない言訳を、夏子ははぐらかすように、こう言った。

「お坐《すわ》りにならない？」

「ええ」

勢いよく野口の坐ろうとした草のあいだには馬糞があった。彼はあわててとびの

いて、野菊の白い衣の中に身を埋めた。

夏子は毅のことを何故か言い出さない。こういうことには全く無神経な野口が口を切った。

「井田君はどこです？」

「厩舎にいますわ。馬が面白くなって、牧夫のおじさんの馬の御講釈をきいているの」

「へえ。それはそうと、僕はとんでもない役目を仰せつかってここへ来たんです」

「何のお役目？」

「あなたを取戻しにうかがったんです」

夏子はけたたましく笑い出した。

「あたくしを？　まるで迷子探しね」

野口は札幌でのいきさつを詳しく話した。夏子は一向怒らなかった。

「そうね」と彼女は流れる雲を見上げて、しばらく考えていた。「帰ってもいいわ」

「え？」

今度は野口のほうがおどろいた。その返事はあまりあっけなくて、彼を緊張させていた「負荷の大任」にあまりにも似つかわしくなかったからである。

「本当ですか？　僕と一緒に？」

「まだ決ったわけじゃないの。でも、ちょっとそんな気がしたのがふしぎね。お母さまやおばあさま、元気でした？」

「ええ、お元気すぎるほどでした」

二人は立上ると、厩舎のほうへ歩き出したが、雲がまたふえて牧草をわたる風の強さが耳もとに感じられた。

2

厩舎まではそれほど遠くなかった。はるか彼方に見えていたものが、ほかに比較すべき近景の建物がないので、実際以上に遠く見えていたのだった。

二人は厩舎の匂いをかいだ。その匂いは日向《ひなた》の匂いと、獣の匂いと、牧草の匂いとの親密にまざり合った匂いである。馬が板を蹴《け》る音がし、横木をうごかす、乾燥した木のぶつかって天井に反響する音がきこえた。

二人が厩舎に入ると、何かゆっくりした唄《うた》をうたっている鼻歌まじりの歌声をきいた。なつかしい唄のようであるが、歌詞はききとれない。少女の声である。どこかたよりない、透明すぎるような声である。

唄は厩番《うまやばん》の部屋からきこえてくるので、二人はその六畳ほどの、汚ない部屋をさしのぞいた。茶ダンスが置かれ、茶卓がある。横の壁に、大きなカレンダアがかけてある下に、よりかかって足を投げ出している少女がいた。

不恰好《ぶかっこう》なワンピースは、町でもっともふつうに売っているプリントの小さい花もようである。髪はお下げである。うつむいていたのが上げた顔の眉毛《まゆげ》はやや濃く、目は深潭《しんたん》のように美しい。彼女は膝《ひざ》の上にひろげたジャンパアのほころびを縫っていたところであった。

夏子はそのジャンパアにすばやく目を走らせると、

「井田さんはどこ？」

と言った。

「あっち」と少女は牧場主の家のほうを指さした。「お父さんと碁を打ってる」

「そのジャンパア、井田さんがおたのみしたの」

「ええ、破れてたから」

「そう、どうもありがとう」

『なるほど』と野口にはさきほどの夏子の思いがけない言葉が思い当ったが、さすがに新聞記者らしいカンがはたらいて、夏子が、

『いいのよ、ほころびはあたくしが縫うわ』

と言えない、乃至《ないし》は言わない理由が、すぐに呑み込めた。夏子には針仕事はでき

ないのだった。

厩舎を出てからも、少女の何の疾《や》ましさもない目の表情は、野口の心に残ってい た。体はほっそりしているが、一寸《ちよつと》見たところ、冬のあいだ、あかぎれや霜焼けで きたえられているその手は、大きくて、さわれば固そうであった。

牧場主の家の応接間で碁を打っていた毅は、入ってくる二人を見ると、びっくり して立上った。「どういうわけなんだ」

「あたしを迎えに来て下さったの。みんなに行先がばれてしまったの」

夏子は冷静にこう言って、毅の目をみつめた。毅はとっさに納得が行った。

――この牧場へ来てまだ二日なのに、毅と老牧夫の一人娘との仲の好《よ》さは、多少 目にあまるものがあったのである。

あの娘は不二子《ふじこ》という。はじめて会ったのが、丁度今日、野口が河原で、ウグヒ をとる少年に会ったあのあたりである。川の中の岩に、素足の娘が腰かけているの を、二人は河原の一角を曲ったところで見出《みいだ》した。

娘は髪を洗ったあとで、それを乾かしていたのだった。髪は半ば乾いて、その肩 のまわりになびいていた。川水は大そう冷たい。そこで娘は、ワンピースの裾《すそ》をま くりあげ、素足は水に浸さずに、腰かけている岩から一尺ほど先の、苔《こけ》むした岩に もたせていた。木洩《こも》れ日はその濡《ぬ》れて光った白い素足に、レエスの靴下をはかせていた。そしてこの不思議な娘は、わけのわからない歌を口吟《くちずさ》んでいたのである。

「Y牧場はもうじきですか？」

と毅がきいた。

「もうじき。一里ないよ」

ぶっきらぼうに少女は答えた。夏子の目にもその少女は美しく見えた。そればかりか、この野性の娘の単純な目が、夏子を見たときに、夏子は、女が女を見る目を感じた。

「ありがとう」

「いいわ、案内してあげる。家はY牧場にあるの」

少女は川べりにおいてあった運動靴をはいた。運動靴はしぶきのために濡れていたので、少女はちょっと舌打ちをした。

三人が歩きはじめると、会話が途絶えた。毅も夏子も、お互いにこの少女の噂話をしたいと思ったのだが、目の前を歩いているので、それが出来かねたからである。

少女はふりむいて夏子にむかって笑ってみせた。

「おねえさん、きれいな洋服ね」

と言ったのである。

「あなたの洋服もきれいだわ。髪を洗っていらしたの？」

うんです」

「ええ。あたし、よく一人で遠くまで歩くんです。そうして、洗いたくなると、洗

「こんな遠くまで来て？」

「ええ」

少し怒ったように少女が言った。年は十六七にみえたが、体は廿歳《はたち》の成熟した女である。胸のあたりの日に焦《や》けた皮膚の光りかがやくさまは、夏子の白い胸にも少しばかり負《ひ》け目《め》を感じさせた。

「お父ちゃん、御客様をつれて来たわ」

この子供らしい一言をきっかけに、彼女の献身的サービスがはじまったのである。夏子ははじめほほえましい気持で見ていた。そのうちに不快になった。この子供は、朝から晩まで二人にくっつきどおしで、毅のハンカチを洗濯したり、夏子の見ている前で、彼のようやくのびかけた無精髭《ぶしょうひげ》にさわったりした。

「はやく髭剃《そ》りなさい」

「めんどくさいんだ。君剃ってくれないか」

「剃ってあげてもいいわ」

夏子はいらいらした。……

はじめ東京者をめずらしがる気持かと思ったものが、この少女の目まぐるしいサ

ービスを見ていると、夏子は何かしら胸苦しくなるのである。
「君帰るつもり？」と何気なげに毅がきいた。
「帰るつもりよ」と夏子が言った。

第十七章　親切の種類

1

経過はわずか二日間である。夏子は不二子の気持をはっきりつかみ、毅の気持をもはっきりつかんで、その上で嫉妬《しっと》しているわけではない。何となく夏子に出来ないこと、夏子の持っていないものを、そのまま露骨に代行している不二子が、気に入らなかったのである。夏子がこういう風に自分に欠けているものを意識しだしたのは、生れてはじめてといってよかった。恋が彼女を弱くしたのであろうか？

「帰るつもりよ」と夏子が答えたのには、何の重要な理由もなかったのである。

「おどろいたな」

と毅はさっきそれを掌に握ったまま立上った白の碁石を、もとの碁笥《ごけ》へ返しに行った。老牧夫は夢中になって盤面をみつめている。毅がちょっと待ってくれと彼に断って、白い石を碁笥に落したとき、その中で白の石の堆積《たいせき》がなめらかに崩れるかすかな音がした。

「うむ、うむ」

と老牧夫は云ったまま、じっと盤面をみつめつづけている。黒い囲いをのりこえて白い羊の群がなだれを打って逃げてゆくような、黒白の配置である。

毅は長椅子に坐《すわ》ると、自分のそばを指さして、夏子に坐るように合図をした。夏子は、「いや」と言った。毅は平気な顔をして、

「それじゃ野口君、ここへ来いよ」

と言った。野口は彼のそばへ大いそぎで腰を下ろすと、

「ねえ、君、夏子さんを帰して上げてくれよ」と言った。

「何だかわからないな、藪《やぶ》から棒に」

「御家族が札幌まで、夏子さんを追いかけて来ているんだ。僕の社へたのみに来たので、僕が編集長から、夏子さんを取戻して来いという命令をうけて、来たんだよ」

「そりゃあ、夏ちゃんの意志で決る問題だな」

「だから夏子さんは帰ると云ってるんだ」

「それなら帰るほかはないだろう」

夏子は応接間のテラスの柱にもたれていた。この言葉で、毅のほうをじっと見た。夏子の顔のうしろには、トドマツの疎《まば》らな木立のむこうに牧場の緑がひろがってい

る。その緑はちかちかときらめいて、緑の海のようである。夏子の顔は逆光のために暗かった。しかし彼女は我にもあらず泣き出したので、頰をつたわる涙は、こちらから見ると、影になった顔に雲母《うんも》を塗ったようにみえた。

　夏子が泣いている！

　これは有史以来の大事件というべきで、母や祖母が見たら、腰を抜かしたことであろう。毅もそれに気がつくと、咄嗟《とっさ》のあいだには、どう解釈してよいかわからなかった。

「出来たわよ」

　と大きな声がして、テラスに不二子が現われた。彼女はだぶだぶの毅のジャンパアを着込んでいて、そのまま応接間へ上って来た。

「おい、足の裏は大丈夫かよ。応接間を汚したら大変だ」

　と老牧夫が言ってから、その姿を見てふきだした。

「何だその恰好《かっこう》は」

　不二子は、答えないで夏子の背中を軽くくすぐった。そしてこう言ったのである。

「おい、夏子ちゃん、僕は熊を射ちに行ってくるからな」

　夏子はふりむかない。容赦もない不二子は、うしろから彼女の肩にかじりついて、背のびをして、その肩にあごをのせると、

「ねえ、井田さん、なぜ夏子さん泣いているの？」

ときいた。

この質問を老牧夫は目でたしなめたが、彼女は臆《おく》するけしきもなかった。夏子の顔を深くのぞき込んで、こう言った。

「ほう、きれいねえ。さわりたくなるような涙ねえ」

彼女が指を夏子の頬にふれると、夏子もそれ以上無関心を装うことはできなくなって、笑いながらこう言った。

「不二子ちゃんのいじわる」

この微笑は、雨の止みぎわに輝きだした木洩《こも》れ陽のようで、夏子に涙も似合うことを、みんなに再認識させるに足りた。

ここで夏子が言い出したことは、いかにも夏子らしい発言で、一同はおどろいたり、感心したりしたが、彼女はこう言ったのである。

「ねえ、不二子ちゃん、あなた井田さんが好きでしょう。私の代りにあなたが熊狩りのお供をして下さる？」

不二子はちらと夏子を見上げて笑うと、ごまかすようにいつもの鼻歌をうたい出した。

「夏ちゃん、そんなことを言ったって、無理だよ」と毅が言った。

「こんな子供を、奥さんが」と老牧夫が口をもぐもぐさせて立上るはずみに、碁盤に手をついてしまったので、碁石が落ちちらばった。

夏子は女の直感で、不二子の子供っぽい世話焼きの中に、子供の親切ではない、はっきりした女の親切を読みとっていたのだが、それを、そのまま口に出すことはできなかった。

不二子は、すこし大胆すぎるほど毅を見つめた。両手をジャンパアのポケットにつっこんで、ひどく仔細《しさい》らしく見つめるので、毅は品評会に出た動物の気持って、こんなものだろうと思いながら、笑いをこらえて我慢していると、ややあって、不二子はこう言った。

「ふん、好きでもない」

この決定的な一言は、みんなを爆笑させた。野口のごときは、いちばん無邪気に、気の毒な色男の友人を笑ったのである。

毅は良人《おっと》のような態度をとる必要があった。彼は立って行って夏子の肩を、学生風に荒っぽく叩《たた》いた。

「君って、ばかだな。帰るのはよせよ」

「ええ」と夏子はかすかに言った。「やっぱり、帰るのよすわ。でも、あたくし、あの子にやきもちをやいて帰るといい出したのじゃなくってよ。一寸《ちょっと》帰りたくなったから、そう言ってみたの。あんまりどこまでもついてったら、あなたに悪いような気が、ふっとしたの」

「何を言ってるんだい。どこまでも僕について来いよ。僕が離すもんか」

と毅は語気を強めて、低声《こごえ》で言った。その瞬間、ほんの一瞬間であったが、夏子は、

『まあ、己惚《うぬぼ》れてるわ』

と思ったのである。夫婦と同様に、清浄な恋人同志にも、倦怠期《けんたいき》というものはあるものだった。

2

牧場の主人は留守だった。この男やもめの変り者の主人は、応接間にドイツ哲学の本を置いたり、そうかと思うと義太夫が趣味で、浄瑠璃《じょうるり》全集などを並べていたが、二人がこの牧場を居づらく思うのには、この肚《はら》の知れない主人が、二人が来て匆々《そうそう》、家の中を自由に使わせてくれる上、時々夏子を見る目付に、毅に納得の行かないものがあったのにも因《よ》るのである。

二人はみんなを置いて、何となく二人で話し合いたいためにテラスから出ようと

したが、毅が、不二子のほうをふりむいて、

「ありがとう」

と言った。

二人は小径《こみち》を歩いた。一つがいの蝶《ちょう》が草の上を低くとびちがい、丈高い草の間でかくれんぼをしているようにみえた。夏子は四つ葉のクローバをみつけて、それを指でまわした。この草いろのプロペラはまわりだし、葉の白い紋が、白い小さな輪にみえた。

「ありがとう、って？」と夏子がきいた。

「つくろいもののお礼さ」

「ああ、そうね」

牧場の果てには、夏の雲が湧いていた。

こんな会話は心をいらいらさせる。夏子は自分の神経質に、自分で腹が立ってたまらなくなっていた。

「あたくしね。ここの牧場で、もう二三日、熊を待っていたら、又こんな気持のごたごたが起ると思うの。そうかって、そんな理由で、一緒にここを出てしまったら、あなたの熊狩りにさしさわりができるわけだわ。だから、あたくし、自分一人で帰ってしまうほうがいいと思いだしたの」

「気にすることないさ」

「あなたは、今いちばん、『だから、ついて来るな、と言ったじゃないか』って仰《おっ》言《しゃ》りたいでしょ。それはよくわかるのよ。でも……」

「いいんだ。僕はね。このごろ迷信的になって来ちゃったんだ。君がそばにいてくれないと、熊を仕止められないような気がして来たんだ」

これはいちばん巧みな愛の告白であったので、夏子はすんでのところで、今晩彼の前に何もかも投げ出してしまいたいと思ったくらいである。しかしすぐあとで、彼女の栗鼠《りす》のような聡明《そうめい》な魂は、「まだ早すぎるわ」と彼女の耳に囁《ささや》いた。

応接間にかえってくると、牧場主もすでに帰宅していた。戦時中政治家になろうとして失敗したこの牧場主は、失敗したおかげで追放にもならなかったが、剛腹ぶりを発揮するのが牛と馬相手では物足らないので、新聞記者という最適の相手をみつけて、ウイスキーを振舞っているところだった。

「やあ御両人、入りたまえ、呑《の》みたまえ」

と彼は呑み屋の広告のようなことを言った。町まで悔みに出ていたので、袴《はかま》をはいているが、羽織はすでに脱いでいる。彼は二十貫の巨体を揺り椅子の上でゆらゆらさせながら、戦後の政治界の堕落と卑小に悲憤慷《こう》慨《がい》していた。とんでもないところに御趣味のドイツ哲学の用語が入るので、野口は鳩が豆鉄砲を喰《く》ったような顔をしていた。

牧場主はこんな和服姿のおかげで、一昔前の政治家のタイプを完全に演じていた。喋《しゃべ》っているうちに、彼は一度たしかに大臣になったがいつなったか忘れてしまったような気がして来るのだった。はじめから野口の目的なんか訊《き》かないで名刺をうけとったので、彼は野口が会見記をとりに来たのだとばかり思っていた。

だから毅が入ってくると、彼は椅子から立上りもしないで、尊大な様子で紹介した。

「こちらは札幌タイムス記者の野口君、こちらは井田君と云われて、獰猛《どうもう》な札つき熊を狩りにわざわざ東京から来ておられる青年だ。そちらの麗人は、井田夫人。きれいでしょう」

毅は返す返すも「妹」と紹介しておけばよかったと思ったが、一昨日ここまで送ってくれた隣の牧場主が、忽《たちま》ち、「奥さん」と紹介してしまったのである。

二人の様子を見て牧場主はこう言った。

「ほう、お友達ですか?」

「はあ、さっきいきなりやって来たんで、びっくりしたんです」

「うん、私の会見記をとりに来られてね」

「もうすんだんですか」

「まあ、大体な。これからうんと呑みましょう」

毅はいたずらそうに野口の肩を叩《たた》いて言った。

「しかし君、早くかえらないと、編集長にどやされるんだろう」

第十八章　襲われて

野口に対するこんな友達甲斐《がい》のないやり方は、毅にもよくないことがわかっていた。その晩一泊して帰ることになった野口に、彼は酒宴のあいだ、事の次第を詳しく話した。

毅は夏子を家族のもとへかえす札幌での彼の計画に、野口が失敗した結果として、こうなることはやむをえなかったのだと、弁明したが、その点では野口も一言もなかった。夏子とは熊狩りをすませて結婚する約束だが、それは家族には言わないでもらいたい、ただ夏子の体は責任を以《もっ》て預る、と毅が男らしく誓ったので、ますます野口には弁駁《べんばく》の材料がなくなったのである。

「それじゃ今では君も参っているんだね」

と野口が間抜けな質問をした。

「うん、そうなんだ。扱いにくいお嬢さんだけどね」

毅は率直な調子で言って、笑い出した。夏子は酒盛に連ならない。すでに寝室へ行き、今夜また牧人と猟犬を従えた毅の見張りの仕事を手つだうために、今しばらくの仮眠をとっているのである。

「何をもぞもぞ話しているんです」

と牧場主が言った。野口はぼんやりしていたので、思わず本当のことを答えた。

「僕が失恋した話です」

『夏子と毅と結婚する。ああ、今だってもう、どこまで行ってるかわかりはしない』

彼は盃《さかずき》の中をじっと見た。その中へ身を投げるには窄《せま》すぎた。

牧場主は厠《かわや》に立った。夏子は座敷のほうから、夏子の寝室の前をとおるその足音をきいた。牧場の犬の遠吠《とおぼ》えをきいているうちに、彼女は寝床の中で心細さに、知っているだけの映画俳優の名前を並べてみた。

「リタ・ヘイウォース、グレゴリー・ペック、マリア・モンテス、ジェイムス・スチュアート……」

このお祈りみたいな文句を呟《つぶや》きつづけると、眠れそうな気がしたのである。

彼女は足音に呼びかけたくなって、思わず呼んだ。

「どなた？　毅さん？」

「うん、僕だよ」

へんな声だな、と思ううちに、唐紙があいて、牧場主が入って来た。さながら酒《しゅ》顚童子《てん》である。見かけだおしで酒のつよくない彼は、そこに崩折《くずお》れて坐《すわ》ったが、今度は立上ろうとすると、袴につまずいた。

夏子は床から起き上って、一度外した背中のホックをはめ出した。紋付袴の大政治家は熊が立上ったような恰好《かっこう》であった。手が前肢《まえあし》のようにぶらぶらしている。スタンドの灯《あか》りがあるきりなので、姿は真黒で巨大にみえる。彼は黙ったまま、固定した笑い方、つまり半分笑って口を動かさない笑い方をして、夏子のほうへ近づいて来た。

彼女は縁側の硝子戸《ガラスど》に体をぶつけたが、鍵《かぎ》がかかっていないのを見てとって、すばやくあけると、庭草の上へはだしでとび下りた。虫のすだく庭をはだしで駈《か》けた。座敷のあかりが庭にさしているところで、そとから硝子戸をとんとん叩いた。

毅が立って硝子戸をあけてくれた。

「一体どうしたの?」

彼女は黙って彼を見上げた。それから不敵に笑って、こう言った。

「熊が出たのよ」

「え?」

野口が黄いろい声をあげた。

「えッ。熊が」

「行ってごらんなさい。私のお床で寝ているわ」

皆は夏子の寝室へかけつけたが、なるほど大政治家は、夏ぶとんを裏返しにかぶって、夏子の寝床に丸まって、高いびきを立てていた。

その夜、番小屋へ出かけた一同は、厩舎のそばをとおるとき、あの悲しいものうい鼻歌をきいた。今夜も美しい星空である。

「ね、不二子さんて、熊に殺された秋子さんに似ているのじゃなくて？」

と夏子がふと訊《き》いた。

「どうして？」

「何だかそんな気がしたの」

夏子はこう言いざま、彼の腕にそっと自分の腕をゆだねた。

その晩も熊は出なかった。あくる朝、新聞社から、野口あてに電報がついた。

シホンユビ　ノクマシコツコニデ　タ一メイヂ　ユウシヤウ」ナツコサンヲスグツレカヘレ
――それはこうである。

四本指の熊、支笏湖に出た。一名重傷。夏子さんをすぐ連れ帰れ。

――これを読んで一同は首をあつめて協議した。

「ここから支笏湖までは十五マイルだ」

「よく飛んだもんだな。翼があるようだね」

「いや熊の行動半径は十マイルだよ。つまり二十マイルまで飛ぶ可能性があるわけだ」

「君はどうする?」

と野口がきいた。

「すぐ支笏湖へ行ってみる。畜生、今度こそ逃がさないぞ。支笏湖の周囲の森は、いわば熊の巣なんだ。熊が遠出を止めて、根拠地へかえって行ったことがわかるんだ。まず向うへ行って負傷者の詳しい話をきかなくちゃならない。君、札幌へかえったら、もっと詳細なニュースをたのむよ」

「新聞にも出るだろう」

「新聞記者が呑気《のんき》なことをいってらあ」

毅の目にはもう熊の姿しか映っていなかった。そういう毅を見ていることが、夏子にはうれしかった。そういうときだけ、彼を独占している心地がしたのである。

「さて、夏ちゃんはついて来るね」

毅がそのかがやく目で彼女を見つめて言った。すると野口がほとんど悲鳴をあげた。

「おねがいだから、夏子さん、僕と一緒にかえって下さい。そうしないと僕はクビになります」

　夏子は野口が可哀そうになった。クビになるなんて本当だろうか？　彼女は黙っていた。訊《たず》ねるように毅を見上げた。その目の中には、あの暗い、烈しい、森の神秘な洞窟《どうくつ》の奥の水晶のような、言いがたい耀《かがや》きがあった。彼女は体ごとそのほうへ惹《ひ》かれた。

「悪いけど……あたくし、帰れない」

　夏子がそう言ったとき、高窓が外から引きあけられて、ふりそそぐ光りと一緒にとんでもないその高さから、不二子の顔がのぞいた。彼女は馬に乗ったまま、立ちぎきしていたのである。

　その声がまるで天使のお告げのように、（尤《もっと》も単に高さの問題だが）不二子がこう言った。

「一人じゃかえりにくいでしょう、可哀想に。野口さん、あたしが札幌までついてって上げる」

第十九章　会見記

1

ところでこの牧場には、（なにしろ牧場主が政治を志すくらいだから）電話が引かれていた。電話で新聞社を呼び出して事の不首尾をなじられるのがこわい野口は、もっぱら電報で熊のニュースを問い合わせた。熊にやられた男は、千歳の病院に入っている由である。夏子をつれてのかえりがけに、重傷者のインタビューをとってこい、という社命があった。

夏子も毅もこの男にぜひ会う用事がある。一方、私が行けば野口さんをクビにしない自信がある、と主張する不二子が、風よけに札幌までついて来ることは、野口にとっても何だか妙にたのもしい。千歳は札幌までゆく途中の駅なので、ともかくそこまで四人うちそろって行くことになった。

千歳は今ではアメリカ空軍の町である。病院までゆく道すじの橋げたに、二三人派手な女がよりかかっている。北海道の田舎町が東京の避暑地になったかと疑われる。そうではなかった。その日傘よりも派手なジャケッやネッカチーフは、その子供のかいた絵のような鮮明なお化粧は、避暑なんぞではない、もっと切実な生活の必要に出たものである。

彼女たちは通りかかった二組の男女を見ると、ヘイヘーイと云って口笛を鳴らしてからかった。

「ちょいと、こっちの兄さん、いい男ね」

夏子がこの言葉で何気なしにふりむいてみると、

「怖いよ、女が睨《にら》みやがった」

と弥次《やじ》られた。

「睨まないつもりで睨んでいるなんて、あたくし、藪《やぶ》にらみなのかしら」と夏子は悲観した。

夏子にとってこの町ははじめて見る町である。しかし殺の物語のなかにたびたびあらわれて、その地名だけは親しいものになっていた千歳町は、想像とはまるでちがって、丁度下宿屋の部屋部屋を貫ぬいて無遠慮に拓《ひら》かれた洋風の廊下と謂《い》った具合に、町のまん央《なか》をまあたらしい舗装道路があざやかに走っていた。ジープがとおる。高級車がとおる。時々ちかくの飛行場をとび立った戦闘機が、爆音すさまじく急降下してみせて、道路に切紙細工のような影を切り抜いた。

病院は川ぞいの古風な西洋館である。夏子はむかしあそんだ積木細工のモデルに、こういう洋館があったのを思い出した。剝《は》げかけてけば立ったペンキ、スレートの屋根、手のこんだ欄干をもった露台、鎧扉《よろいど》……。

四人は馬車廻《まわ》しをまわって医局の受付の前に立った。消毒薬の匂いがさわやかである。この匂いをかぐと、健康で若い四人は、何かしら病気になつかしさを感じた。

門前の花屋で買った見舞の花束は、夏子と不二子が一つずつ持った。それは平凡なダリヤや百合《ゆり》や石竹だった。なかに一本注文したおぼえのない小さな萎《しお》れかけたバラがあった。

『この一本はサーヴィスのつもりかしら?』と病院の廊下をあるきながら夏子は考えた。『招かれない客という風に、この小さいバラはしょんぼりしているわ。これはあたくしがいただいておきましょう』

彼女はこのバラをとって、髪にさし、不二子のほうへ笑ってみせた。するとおどろいたことに不二子は、真似をしてみせるつもりで自分の花束からいちばん立派な赤いダリヤをぬき出すと、これを髪にさした。

「おいおい、そんなことをしてたら、病室へゆくまでに花がなくなっちゃうよ。君たちと来たら、象にやるお煎餅《せんべい》を自分でたべちまう子供みたいだな」

と毅が言った。

病室には幸い、ほかの見舞客が居なかった。顔の半分が繃帯《ほうたい》におおわれ、目と髪だけにわずかにその若さがうかがわれる青年があおむけに寝ていた。野口があいさつして、すぐ枕許《まくらもと》に下っているカルテを見た。

「本多《ほんだ》菊造《きくぞう》殿二十九歳」

と書いてある。

この木こりの青年は、しょっちゅう木と取組んでいるだけに、無口で、口下手な様子だった。話がとぎれたりすると、皆は傷が痛むのではないかと心配したが、そうではなかった。

彼の目はびっくりしたように夏子の上に釘付《くぎづ》けになった。皇后陛下の御見舞をうけた忠良なる兵士のように直立不動の姿勢で立上ろうとするつもりか、体をひどく大幅にうごかして、看護婦に叱られた。しかし話しだすと、その目は繃帯の中に埋もれているせいか、去りやらぬ深い恐怖をうかべた。

「目的は？」

と野口が手帳を出してきいた。

「は？」

「あなたが山へ入ってゆかれた目的は？」

「ああ。それは伯父《おじ》の家へ用事があったので、山越えをしないで行けばよかったのですが、近道だし、それに今は熊が人里ちかくをうろつく季節ではなし、安心して山へ入ったのです。自分の家の裏手からすぐ山に入りました……」

2

……そこは支笏湖畔の製材所や旅館や小さい造船所のある中心地から北方へ約一キロ半行った千歳川の流域である。

菊造の家の裏手はすぐ山で、下の方をゆく道は涸沢《からさわ》に沿うてめぐり、上の道は二尺ほどの笹の中をほそぼそと通っている。

菊造は上の道をいそいだ。

この道はあまり歩いたことのない道である。

夏というのに木かげはひんやりとして、曇天のために、木洩《こも》れ陽も葉末をかがやかさず、ナラ、ハンノキ、カエデ、ナナカマド、などの木が密生している下かげは、いちめんの笹である。

菊造は口笛を吹いた。知っているのは、炭坑節ぐらいである。

梢《こずえ》を見上げると、鳥も啼《な》かず、リスの走る影もない。風がないので、細かい葉の一枚一枚までが動かない。葉も枝も、曇天の燻《いぶ》し銀《ぎん》の上に浮彫した彫金の細工のようにみえ、何か風景全体が彫刻のように身を堅くしている感じである。天地に音というものがなかった。菊造は気圧《けお》されて、口笛をやめた。あるところまで来ると、笹が枯れていた。ものの十メートル半径ほどの範囲の笹が、ほとんどすり切れたように、枯死している。

『去年ここをとおったときは、こんな風になっていなかったがなあ』

と菊造は思った。

そのとき菊造は異臭をかいだ。何ともいいようのないなまぐさい悪臭である。戦地へ行っていた菊造は、ちかくに屍体《したい》があるのではないかと思った。しかし屍臭ともちがう。ちょっとかいだだけで、口の中まで青黒くなるような感じの匂いである。

笹がカサカサといった。

ふと前を見た。

熊が向って来た。その瞬間、熊は異様に大きく見えた。

菊造はあたりを見まわして逃げ場所をさがした。大体平板な地形である。身をかくすには木にでも登るほかはない。

近くの楢《なら》の大木にのぼろうと思った。

このとき菊造の目には熊が見えなかった。彼の目には、自分のつかまるべき枝ばかりがみえた。これは火事場から逃げ出す人がほとんど火の記憶をもたないのと同様である。

枝はどれも手が届かない高くにある。菊造は、それを探すうちにも、身をかくそうとして、体をかがめてしまうので、枝はますます絶望的な高さにみえる。一本、頃合の枝がみつかったので、それに手をのぼそうとすると、ほんの一尺ほど高すぎた。

—熊が背中に迫ったような感じがしたので、仕方がなしに、大木の周囲をまわって逃げた。どこか木に接近したかくれ場所を、逃げながら物色しようと思ったのである。

物色したりしている余裕はなかった。明らかに熊の、あのやりきれない臭さを持った息吹が背中に感じられたからである。

菊造は何か叫んだ。

何を叫んでいるのか自分でもわからない。叫びながら大木の周囲を一周した。

この楢はさしわたし一米半もあったであろう。一周するのに永い時間がかかったような感じがした。

まだ熊は追って来る。そこで前よりも拍車をかけて木のまわりを逃げた。

二めぐり目か三めぐり目か、そのへんの記憶はたしかでない。あまり夢中で速く駈《か》けたので、熊に追いついてしまったのである。

目の前にあるのは、何ともしれない大きな半ば立上った熊の背中であった。汚れたけば立った毛が視界を覆った。文字どおり、目先が暗くなって、菊造は、

「わっ！」

と叫んだ。すると熊はひどくすばやい運動をした。その大きなだぶついた体が、野球の投手のように、くるりと身をひねって向きを変えると、稲妻のようにその前肢《まえあし》が菊造の頬に走った。

「バン！」

という音がしたように思われたのは、熊の前肢が菊造の左の目の下三寸のところを打った時である。

菊造はその瞬間、雷に打たれたような気がした。彼はおそらくぼんやり立って、熊を見ていたのであろう。熊の口がひらいて、彼の二の腕にくらいついた。

そのとき、彼の体は非常な勢いでふりまわされた。痛みの感覚がまだはっきりしない。そこで、旋風にさらわれたような気がしただけであるが、熊は彼の腕をくわえて、その体をふりまわしていたのである。

菊造は丈の高いほうでない。五尺二寸足らずである。しかし腕力には自信があって、徴兵検査のときには、十数回も米俵を頭上高くもちあげたのである。彼は喧嘩《けんか》でも、人に負けたことがない。その彼が、こんなにやすやすとふりまわされている

あいだ、ちらと考えたことは『こんな強い奴が村にいたっけな』という感じであった。

菊造は枯れ笹の上へ放り出された。

うつぶせになって、じっとしていた。

死んだふりをすれば、熊は行ってしまうというあの言いつたえを思い出したのである。

しばらくふしぎな沈黙があった。菊造は目をとじている。蟬の声がきこえるような気がしたが、耳鳴りかもしれない。胸の鼓動があらあらしく、心臓が口からとび出しそうに思われる。

自分でも気がつかずにいて、右足がうごいていた。熊はじっと見ていたらしい。いきなり動いている足首に食いついた。そして菊造の体をふりまわして、二三間さきの木の根の草むらに叩《たた》きつけた。菊造はまだ気を失わない。しかしおそろしくて目をあけることができない。熊のうごきを、体全体で感じとろうとしていると、熊はあたりを無意味に嗅《か》いでいるいている様子である。やがて、フーッ、といいながら行ってしまった。

菊造はほっとした。しかしまだ油断ができない。

死んだふりをつづけていない限り、又どこから引返してくるか、わからない。彼は全身で死人の演技をした。自分を死んでいるものと想像して、目をあけて熊の行方をうかがいたい誘惑を感じながらもそうしなかった。

しかし背中の肉がうごいていた。息づかいがはげしくなり、どうしても背中に呼吸が波打つのであった。菊造はそこまでは思い及ばない。しかし上から見れば、彼のカーキいろのシャツの背は、もぐらもちがもちあげる土のように、うごめいていたのである。

しらぬ間に熊がかえってきていた。

菊造の背中を平手で叩いた。菊造は背骨を折られたような気がした。

熊は「ヌフッー」というような鼻息を洩らして、立去った。

こうなるまでの間、菊造はほとんど熊を見ていない。熊はただ真黒な巨大なおそろしい影、目に見えない闇の力のように、彼のまわりをうろつき、悪臭を漂わせて去ったのである。われに返って、菊造があたりを見まわして、もう熊の影ひとつ見なかったとき、彼は今の自分の体験を、客観的に思いえがくことができなかった。自分が熊を相手にしていたとは思えない。あたりは再び、深閑とした白昼の山である。彼は茫然《ぼうぜん》として歩きだした。

彼は鼻血がとめどもなく流れているのを感じていた。鼻血などにかまっていられない。しかし口の中へ入ってうるさいので、手拭《てぬぐい》で血を拭った。すると血の流れてくる方向がちがっている。手拭に包んだ指を頬にあてがった。すると頬の肉に指がすっぽり入った。

菊造は「あっ」と思った。動悸《どうき》が急に早くなった。

頬かぶりをして、沼のところまで下りる。下りる足がだんだん痛んできた。しかしその痛みは刺すような痛みではなくて、熱いものにさわっているような痛みである。見ると地下足袋《じかたび》の上がぼろぼろになって、血がにじんでいる。彼はポケットをさぐって、もう一つ汚れた手拭があったので、それで足をしばった。

林道へ上り、また沼へ下りて、沼のふちをしばらく行く。

沼に下りていた水鳥が、はげしく羽ばたいて飛び立った。その羽搏《はばた》きの音が、耳におそろしくひびき、体中の痛みがつのるような気がした。

川ぞいに来ると、ついに支笏湖が目の前にひろがった。

静かな、神秘的な湖である。かなたに雲の裂け目があって、青空がのぞいている。その小さな切地のような青空が、湖に影を落している。

右方に恵庭岳《えにわだけ》、左方に、風不死岳《ふっぷしだけ》と、活火山のドームを戴《いただ》いた樽前山がつらなっている。湖畔の白樺《しらかば》は、微風に葉を揺らし、湖は曇天の沈んだ光にみちて、今日は帆影ひとつうかべていない。

彼は湖畔の営林署の舟着場を目にした。

それは最近クリームいろに塗りかえた瀟洒《しょうしゃ》な小屋である。窓には白いカーテンが風にそよぎ、舟着の白い柵《さく》が、湖の中へ、この緑いろの水の牧場の柵のように、突き出ている。

菊造はその戸口まで辿《たど》りつくと、戸を叩いて、大声で知り合いの署員の名を呼んだ。呼んでいるうちに、力が急に抜けて来て、戸の前に気を失って、倒れた。……

3

……聴きおわった一同は、このあまりにおそろしい話に顔を見合わせた。

毅は頬の筋肉を緊張させて聞いていた。そしてききおわると、重要な質問をすることを忘れなかった。

「そうしてその熊が、例の四本指の熊だとどうしてわかったんです」

「それは」と若者は、看護婦の手がさし出す水呑みから、うまそうに水を呑むと、言いついだ。

「そのときは、熊の姿を見るどころじゃなかったんです。あとから現場を見に行った人が、熊の足あとをしらべたんです。足あとには、指が四本しかありませんでした。それに、今ごろ、熊がのこのこ人里に近くやって来ることはめったにありません。秋になって、とうもろこしがみのったり、山ぶどうが熟してから出て来るのがふつうですから。それで見ると、この熊は、ふつうの習性から外れていることがわかります」

「なるほど」

一同は口々に、菊造の勇気と沈着さをほめそやし、勇士に贈る花束を、その枕許《まくらもと》に飾って、一日も早い全快を祈った。

野口は、メモをとりおわると、それをポケットにしまって、夏子のほうをふりむいた。

「どうです、夏子さん、今の話をきいて、怖気《おじけ》づきませんか」

夏子は、萎《しお》れたバラを髪からとって、ありあわせの小さい罎《びん》に水を注いで、それをさしながら、いたずらそうに笑った。

「ちっとも！」

不二子も大きく胸で息をした。

「あたしも熊狩りについて行きたくなったわ」

夏子がパーティーへ人を招くような調子で、今度は気軽に肯《うべな》った。

「どうぞ。一緒に行きましょうよ」

毅が何かいおうとしたとき、聡明《そうめい》な不二子は、すぐ察したように、

「いいわ。女の人が二人も行ったら大へんだわ。あたし、野口さんについてくから、いい。野口さんがクビにならないように、夏子さん、祈ってて下さいね」

　このおませな依頼は、一同を笑わせたが、毅は、笑いに一寸片足《ちよつと》をかけてやめたように、まじめな顔に返って、独り言のように言い出した。

「この次の情報で、大体熊の行動範囲がきまってくる。行動半径がだんだんせまくなりつつあるね。今度こそ本格的に、熊を待って網を張ることができそうだ。支笏湖畔のアイヌ部落全員に、助力をたのむんだ。ねえ、野口君、札幌の猟友会支部長にも乗り出してほしいんだ。君にはしかるべきところで連絡をとるから、支部長からアイヌを動かしてもらいたい。それがいい。猟友会員は、去年までは冷淡だったが、今度は便宜ぐらいはかってくれるだろう。もしそれもだめなら……」

　夏子は毅の次の言葉を待った。その言葉を占った。言葉は彼女の占いどおりになった。

「僕が一人でやる！」

第二十章　不二子証人となる

1

札幌タイムス新聞社へかえった野口は、二階の編集室へ上る足取が大そう重い。

不二子がうしろから彼の背中を叩《たた》いて慰めた。

「大丈夫よ。しっかりしなさい。男じゃないの」

成瀬編集長は昼のお弁当を喰《た》べているところだった。この弁当箱たるや、一寸見たところ、電話帳ぐらいの大きさで、その上、他にまたお菜《かず》入れの容器を持って来ているのは、少食の多い大酒呑みにめずらしい大食漢の成瀬氏の面目を語っていたが、食糧事情のむつかしかったころ、彼自身の書いた社説の一節を、参考までに紹介すると、

「近時アメリカの狩猟愛好家が来道して、多数の日本人勢子《せこ》を雇って狩猟をしたところ、勢子は給与の中食――外人のそれと同質同量のものである――のオレンジ一個チーズ二片サンドウィッチ一人前を旨《うま》そうに平らげたあとで、各自携行の弁当を

ひらいてこれをまた平らげたが、各々二個の特大の握り飯を見た外人は、日本の食糧事情は悪くなるわけだ、と慨嘆したそうである。この挿話からも、日本人の食生活がいかに不合理な……」

というわけである。

野口はその机の前へ進むと、頭を下げてこう言った。

「只今《ただいま》かえりました。たびたび電報をありがとうございました。インタビュウもとってまいりました」

「御苦労、そりゃあ御苦労」

成瀬氏はすばやく口の中の御飯をお茶で呑み込んでから、こう言った。

「例の松浦令嬢は連れて帰ったかね」

「はあ、その」

「なに？」

「はあ、あの」

「連れて帰ったのかね。帰らないのかね」

野口は蚊の鳴くような声で言った。

「は、連れて帰りませんでした」

「ふむ」

一寸の間沈黙があって、編集長のうしろから吹いてくる風が、机上の書類をひらめかせているかすかな音だけがきこえた。編集長はお菜入れの中から、食べかけのハムをつまんで、それをいそいでたべた。それを嚙《か》んで、呑み込んでしまうと、急に怒り出した。

「どういう理由か知らんが、それでは君の責任は果せんじゃないか。俺の顔もつぶされたぞ。だって君、考えてもみたまえ、それでは君の責任も果せんじゃないか。たとえばだ、たとえば、問題を論理的《ロジカル》に考えればだ、新聞記者に探し人の職務はないわけだ。こりゃ問題をロジカルに考えればだ。しかしこの場合、もし、よしんば、かりに君がだ、そういうロジカルな議論を楯《たて》にとって、自分の怠慢を弁護するなら、そのことがすでに君の怠慢だ。そうじゃないか、そのこと自体がだ」

怒り出すと、成瀬氏は冗々《くだくだ》しくなり、自分で何を言っているのかわからなくなる癖がある。同義語をいくつも並べたり、同語反復に陥ったり、文法上の誤ちを犯したりする。彼の頭は壊れたタイプライターのようになって、活字が無鉄砲に飛び出してくるのである。

野口はじっときいていたが、呑み込めたことは左のようである。

編集長は東京の社長から日に三回も電話をもらっているのである。社長は夏子の父に忠勤をはげみたいので、毎日吉報をまちこがれてじりじりしているらしい。夏子はもう帰ったか、という問い合せやら、何をぐずぐずしている、という叱責《しっせき》やらで、そのたびに成瀬氏は冷汗をかかねばならないが、氏は社長の腹心の子分だからである。氏が社長からうけている恩義は正に海にも山にも代えがたい。こんな機会に万分の一の御恩返しでもできれば、成瀬氏としてはますますビールが旨くなるわけなのである。氏が野口に「論理的に考えること」を強調しているのは、ここのところをよく考えてみろ、という意味らしい。

野口は頭を垂れてきいていたが、彼以上に弁解の下手な男はめったにあるまい。彼が何か口を利こうとすると、編集長が皆言葉を横からとって、際限もなく怒りつづけているのである。

成瀬氏はとうとう怒りくたびれて、

「おい、お茶」

と言った。女の子は丁度用事で出ていて、お茶を持ってくるべき人がいない。「おい、お茶」と成瀬氏はもう一度叫ぶと端っこの空いた椅子に坐《すわ》って待っていた不二子を、給仕の女の子とまちがえて、こう言った。「おい、君、何をぼんやりしとるんだ。お茶を早く」

不二子は見ると、近くの電熱器にアルミのヤカンが湯気を吹いていたので、おちつきはらってその電気を止めて、ヤカンを片手に下げて歩いてきた。不二子が近づくにつれて、成瀬氏は目を丸くした。

「や、君は？」

「あ、この人はお客さんです」

とそばから野口があわてた紹介の仕方をした。不二子は黙って、おちついて、ヤカンから編集長の茶碗《ちゃわん》にお茶をつぎ、いつのまにか片手にもっている別口の茶碗を野口の前に置いて、これにもゆっくりとお茶を注いだ。

成瀬氏は苦虫を嚙みつぶしたような顔で、

「いや、これは失礼しました。恐縮です」

と言いながらお茶をのみ、野口もありがたがって頭を下げた。

編集長の詫《わ》び言が大へん軽少だったのは、照れくさかったのと、相手の不二子が十五六の子供に見えたからだったが、この番茶事件で風の勢いは大分そがれた形になった。

「あんたは誰をたずねて来られたかね。誰かの妹さんかね」

不二子が目の前に突っ立ったままなので、成瀬氏は御愛想を言った。

2

不二子は都会へ出て来ても、ふしぎな美しさをもっていた。小柄でいながらすくすくと育った体、何かきらきらした妖精《ようせい》じみた単純な目、濃い眉《まゆ》毛《げ》、森の動物のようにすばしこい孤独な感じがあるくせに、手も足も、夢のような動きで少しも渋滞がない、そういう姿に、安物の花もようのワンピースも、まことにさりげなくよく似合っていた。髪を不器用に結んで、安物のセルロイドの櫛《くし》をさしているのが、可愛らしい。

「野口さんと一緒に来たんです」

「野口君。君に妹さんがあったのかね」

「いや、妹じゃありません、その」

「奥さんかね」――と成瀬氏は冗談を言ったつもりが、一見子供らしい不二子の胸の成熟した豊かさに目をやると、また雲のごとく氏独得の空想が湧いて来て、

「まさか君、夏子さんをつれに行って、自分でロマンスをこしらえて、仕事をほっぽり出してだ、帰って来たのとちがうだろうね。え、野口君、まさか、そんなことはだね、ちがうだろうね」

「ちがいます、ちがいます。この子は僕を庇《かば》ってくれるために、自分からついて来てくれたんです。いわば証人みたいなもんです」

「証人？」

不二子は間髪を容れず、出来のよい生徒が教科書を朗読するときのように、大声で言った。

「おじさん、野口さんをクビにしないで下さい」

編集長は目を丸くした。これは記事になると思ったのである。

「クビにするしないって、君、別に」

「うそです。おじさんは野口さんをクビにしようと思っているんでしょう。それはよくないわ。野口さんはいい人だし、あたし向うで見ていて、野口さんが夏子さんを札幌へ連れて来られなかったわけを、よく知っているんです」

「へえ、どんなわけだ」

不二子は椅子をすすめられた。編集長は面白くなって来て、デスクの下のほうの大抽斗《おおひきだし》から、とっておきの西洋菓子を出すと、不二子と野口にすすめて、自分も喰《た》べた。不二子はすぐお菓子に手を出さない。たのしみは重要案件を片附けたあとにせねばならない。彼女はデスクの端に片手をかけ、唾《つば》を呑《の》み込みながら、永々と証言した。

「夏子さんは、熊を狙っているその井田さんって人がとても好きなんです。どっちもそばを離れられないくらい好きなんです。これであたし、ずいぶん夏子さんに疑われちゃったのよ。あたし別に悪いことしないけど、つまり親切すぎたんですね」

成瀬編集長は、野口と顔を見合わせて、苦笑を洩《も》らした。これが和解の合図であった。

「そりゃあ井田さんはとてもステキよ。まあ野口さんと比べたら百倍ぐらいステキよ。でも野口さんはほんとうにいい人ですけどね。井田さんもいい人ですけどね」

「それで夏子嬢のことはどうなったんです」

「夏子さんはあそこまで行った以上、熊狩りがすむまで、絶対に帰らないわよ。野口さんに責任はないんです。夏子さんは決してかえるわけがないわ。井田さんにどこまでもついてゆくと言ってましたわ」

「そいつは弱った。そこであなたはどこの娘さんかね」

「Y牧場で生れてずっとそこにいるんです。お父さんはカウボーイです」

「お話はよくわかりました。野口君はクビにしません。安心して下さい」

成瀬氏はいつものニコニコした肥《ふと》った紳士にかえって、卓上電話の受話器をとりあげた。松浦家の人たちの宿に電話をかけて、すぐ社へおいでいただきたいと伝言した。

「やれやれ」と編集長は手巾《ハンカチ》で汗を拭《ぬぐ》うと、

「今これを片附けてしまいますから」

と言って残りの弁当に箸《はし》をつけた。そこで不二子も、手をのばして先程の西洋菓子をはじめて口に入れた。それはほっぺたが落ちるほどおいしく、彼女は満足のあまり手をのばして野口をくすぐった。彼はくすぐったがって蛙のような声を出し、成瀬氏は口に御飯をほおばったまま、けげんそうに二人を見くらべた。

第二十一章　戦闘準備

1

夏子の祖母と母と伯母《おば》の三人が騒々しく上って来たときは、丁度昼休みの時間がおわって、戸外でキャッチボールをしていた社員たちが、部屋へかえって来だした時刻である。

三人は成瀬氏にまるで十年ぶりで会うような挨拶《あいさつ》をした。若い社員たちは、グローヴの掌に球をうちつけながら、

「ほら、例のお化けたちがまた来たぜ」

と囁《ささや》き合った。彼らの耳にまでつたわるあの甲高い遊ばせ言葉は、新聞社の空気の中ではたしかに異様であった。

成瀬氏が彼らに不二子を紹介したが、不二子はさきほどの勢いに似ず、この老年代表や中年代表の奥様方におじけづき、現場をみつかったスリの女の子のように体をすくめ、好奇の眼だけをみはっていた。

「それであの、夏子はかえってまいりましたの？」と母がきいた。編集長はあわてて首を振りながら、

「いや、まだ帰っておいでになりません。大へんお元気でいらっしゃることは確認されたわけですが。さあ、不二子さん、さっきのように、奥さん方の前で一席ぶって下さい」

不二子は口を切ってみたが、とてもさっきのようにうまく行きそうにもなかったので、口をつぐんで野口にゆずった。彼女たちの扱いに馴《な》れた野口が、却《かえ》って上手に事の次第を報告した。

「まあ、お忙しいところを本当におそれ入ります。どこまでお世話をお焼かせするのか」

「これで、でも、一先《ひとま》ずほっといたしました」

「まだ安心は早うございます。こりゃあ夏ちゃんはその男と相当深いところまで行っていますよ」

「まあ、どうしよう。夏子に限って、そんなことが」――と伯母が手巾《ハンカチ》で洟《はな》をかんだ。

「いや。私の永年のカンでわかりますね、女がそこまで引きずられるには、何かそこに、あるべきことがあったとしか思いようがありません。でも夏子のほうからそ

うだらしなくなるわけはない。男がよほどの曲者《くせもの》ですよ」

「きっと熊のような男なんだわ」

「熊のように女を喰《く》い物にする男でしょうよ」

不二子が小鳥が啼《な》くような声で笑い出した。

「あーら、おかしい。熊のようだって。全然ちがうわ。おばさん、見たらびっくりするわよ。井田さんとてもステキだから。野口さんの百倍ぐらいステキだから」

野口は苦い顔をし、現実的な母親は、その場にいちばん実質的な判断を与えた。

「お話を伺ってみると」と彼女は溜息《ためいき》をついてあたりを見廻《みまわ》した。「これにはどうしても結婚問題がからんで来てるわ。夏子は熊狩りがすめば帰ると云ってるそうですけど、いくら熊狩りがすんでも、わたくしたちが結婚をみとめなければ、帰ってこないつもりなんだわ。あの子の性格から云うときっとそうですわ」

この言葉にはさすがに母親らしい正確な観察が盛られていた。皆はそこで大いに傾聴し、いざこういう重大問題になると、祖母と伯母は場所柄を忘れて大きな声を立てた。

「でも誰がそんな熊男に可愛い孫娘をやるもんですか」

「でももし皆が反対したら心中でもしかねないほどの気持だったら、どう遊ばして？　とにかく今までの夏ちゃんの行き方とはちがっている。今度こそ本ものらしいわよ」――伯母はきょうは決して泣いてはいけないという約束をさせられていたので、漸《ようや》くせき上げてくる咽喉元《のどもと》にせわしなく唾《つば》を呑《の》み込み、はやくも目をうるませながら、

「どうかそうしたら皆さんで夏子の気持を通させてやって頂戴《ちようだい》」

「通させるも通させないもありませんわ」と母親は恬淡《てんたん》に、「もう夏子の結婚の相手は、夏子まかせにするほかはありませんもの。宣教師だろうが、ボクサアだろうが、夏子のつれて来た男が松浦家をついだらよろしい」

「まあ松浦の家が拳闘《けんとう》で名を売るんですか。おおいやだ、御先祖様がおゆるしになりませんよ」

「これはたとえばなしでございますよ」

一同は新聞社の多忙の邪魔になることを考えて、近くのコーヒー店へぞろぞろと移った。雨がふりだしていた。

「まあ雨だ」

「こりゃあ大変！」

彼女たちはそろってハンカチを頭にのせ、野口が気の毒がっておばあさんの頭に自分のピケ帽をかざして歩いた。いっそそれをかぶらしてしまえばよかったのだが、かぶらしては失礼だと思ったのである。

2

コーヒー店で、祖母はブラックを、伯母はめずらしがってウイスキー入りコーヒーを注文したが、彼女たちには三浦環《たまき》が自転車で通学した時代のお洒落《しゃれ》がのこっていたのである。

議題は結婚問題にいつまでもかかずり合い、こちらから「ケッコンユルス」の電報を打たない限り、夏子は帰ってくるまいという点でみんなの意見が一致したが、それだけは何とか回避したいという保守的な意見も出てもめるうちに、老女たちはまだ見ぬ花聟《はなむこ》の姿に、いつかしら夢を抱いたようである。なぜかというと、祖母が突然こう言い出したから。

「あたくし、ともかく一度、その男に会ってみたいね」

「あたくしも何だか会ってみたくなりました」

「お家《うち》はいい方だといいましたね。野口さん、何かお父さまが実業家なんですって」

「夏子が夢中になるくらいだから、もしかすると立派な人だ。夏子は面喰いですから、男振りはまちがいなしとして」

「皆で会いに行ったほうが早道かね」

こういう祖母の提言に一同は呆気《あっけ》にとられたが、向うの二人はそこかしこと熊を追って移動しているのだし、老人の足では追いつけない、それよりいっそ熊狩りの時期を早めるのに協力したほうがいい、という成瀬編集長の意見に、みんなが賛成して話がまとまった。野口が井田毅の伝言の用事を話したので、それではその猟友会支部長のところへこちらから頼みに行って手助けをしよう、と母が言い出した。祖母もこれには賛成である。彼女は雨の戸外を眺めた。それから思い出したように夏子の母をふりかえって念を押した。

「私をのけものになさるなよ。私も肚《はら》を決めました。熊狩りの時は、その場へ行って見物することに決めましたよ」

皆は今は逆らわずにおいて、その時になってごまかせばよいという表情で、目くばせをしあった。

成瀬氏が電話をかけて社の車を呼んだ。ここからすぐに氏と奥様連は猟友会支部長の家へ行くのである。

「野口君はどうする?」

「今この子がかえるんだそうです。駅まで送ってゆきます」

「そうか」

一同は感謝したり詫《わ》びを言ったり泣いたり笑ったり大さわぎをして車に乗って、行ってしまった。不二子と野口は雨に濡《ぬ》れて駅まで歩いた。不二子は髪をおおいもしない。雨が野生の樹に注ぐように、耳からそのなめらかな首筋に伝わった。不二子の用事、不二子の役割はもうすんだ。彼女は一刻も早く牧場の父のところへかえりたい。

「どうもありがとう」

駅前で買った放出菓子の一包を野口は彼女の手に握らせた。

「あの奥さんたち、あたしきらい。いい人らしいけど、あたしきらい。ああいうの見ていると、早く山にかえりたくなる」

と不二子が呟《つぶや》くように言った。同感だな、と野口も言う。あのブルジョアの悪臭が野性の少女の鼻にも敏感に感じられたのが面白かった。

汽車が動きだすとき、窓からさし出された固い胡桃《くるみ》のような手を握りながら野口は、

「おい、君はほんとは僕と井田君とどっちが好きなんだ」ときいた。

汽車と車の轟音《ごうおん》にまぎれて、彼女の小さな声が遠ざかった。しかしそれははっきりききとれた。

「あなたよ」

第二十二章　狩猟家気質

1

新聞社の車は、中島公園に程近い南十一条西九丁目の古風な洋館の前に止った。

「黒川歯科医院」

という看板が、右の門柱に、

「大日本猟友会札幌支部」

という看板が、左の門柱にはめこんである。どちらもシンチュウの看板で、商売のほうも趣味のほうも、等分にピカピカ磨きを、かけてある。まるで、新らしい猟銃のように。

成瀬氏と夏子の祖母、伯母《おば》、母の四人は、歯医者の玄関へぞろぞろと入って案内を乞うた。診察中だというので、二階の待合室兼応接間へとおされる。窓の前に露台の藤棚が濡れている。

黒川先生は、子供の患者にかかっているところである。「アーン、そう、アーンして」と言う先生の声がきこえる。「そらアーンよ。先生の仰言《おっしゃ》ることをきかなくちゃいけませんよ」と、そばで鞭撻《べんたつ》している若い母親の声がきこえる。ギリギリという機械の音がしだした。とたんに、ものすごい泣声がおこった。母親が、やっきになって止める声がきこえるが、泣き声はますますひどくなるばかりである。コップが床におちてわれる音がきこえた。

「今日は、それじゃ止めましょう。また調子の良い日にいらっしゃい。でも、お家《うち》へかえって、痛くなっても知らないよ」

つとめて冷静に朗らかそうに言いきかせている先生の声がする。母親がいつまでもぼそぼそ詫びている。

カーテンをあけて帰っていく母子を見ると、待合室の一同は失笑を禁じえなかった。若いお母さんは、面目なさの余り、目を泣きはらして、ハンカチを鼻におしあてていたが、手に引かれている腕白そうな坊やは、顔じゅうを涙と水《みず》ッ洟《ぱな》で汚しながら、待合室の大人たちを見まわすと、今泣いた鴉《からす》が、会心の笑をうかべて、ぺろりと舌を出したのである。

黒川先生は照れているのか、なかなか現われない。待合室の床には、夏だというのに、獲物の熊の毛皮が敷いてある。棚には剝製《はくせい》のエゾ雷鳥が、硝子《ガラス》の目玉を光らせている。壁に黄いろくなった写真が、かけてあって、片足を倒れた熊の頭にかけ、片手の銃を地面に立てている青年時代の黒川氏の颯爽《さつそう》たる姿が見られた。

　黒川先生が、白い診察服を脱いであらわれた。成瀬氏が三人を、それぞれ黒川氏に引き合わせた。黒川氏は、オウオウ、という声を出して、頭を永々とさげて、光栄に感じている旨の感情表現をやってのけた。

　もう五十六七になるというのに、彼はどこか子供が附髭《つけひげ》を生やしたようなところがあった。ほっぺたは赤く、小男で、貫禄がない代りに、遊んでいるときの子供のように精力的にみえた。狩猟家というものには、どこかに子供の残酷さがひそんでいるものである。

　まず成瀬氏が、ことの次第を話し、めずらしく神妙な女三人組が、そろって頭をさげた。

「どうか、おねがいいたします。お力にすがりとうございます」

「オウオウオウ」と歯医者兼支部長は、そんなに頭をさげないでくれ、とたのむように、手を振った。ついでに自分も頭をさげたが、麻の夏背広の上着の内側に、御飯粒が一つくっついているのを見つけて、それをつまんで拾いながら、「お話はよくわかりました。私だって、もともと井田君に、非協力だったのじゃありません。ただ、あの熊を狙うのは、愚かだと悟ったからですよ。狩人《かりゆうど》は登山家とちがいます。もうちょっと欲深なんでございます。エヴェレストの頂きを、きわめたからと云って、獲物がなければ何にもなりません」

「つまり理想主義だけでは、ことが運ばんわけですな」と、成瀬氏が言った。

「そうです。ところが井田という青年には、狩猟家としての腕はあっても、精神にどこか物足らんものがあります。彼の追っているのは熊ではありません。彼は、どうもお星様を追っているような気味があります」

老女たちは神妙に、この問答をきいていたが、やがて、じれったそうにまず祖母が口を切った。

「でも先生、義を見てせざるは勇なきなり、と申しますが、狩人の道から見て義であるとなれば、黙って見ておいでになる先生ではございますまい。どうも井田という男は、私共には、にっくき娘盗人《ぬすっと》でも、考えていることは立派なような気がいたします。あれほど仇討《かたき》ちたやの一念で、報酬一つ求めずに熊を追っているのには、何かこう、心を搏《う》たれるじゃございませんか」

こんな祖母の言草を、もし夏子が傍らにいてきいたら、自分がこの人の孫娘だということを、改めて実感を以《も》って感じたことであろう。

「しかし狩人は義士じゃございません」と黒川氏は、にこにこしながら言った。

「狩人のねらうのは獣であって、仇ではございません。獲物であって、相手の悪意ではございません。熊に悪意を想像したら、私共は容易に射てなくなります。ただの獣だと思えばこそ、追いもし、射てもするのです。昆虫採集家は害虫だからという理由で昆虫を、つかまえはいたしますまい」

この理窟《りくつ》は、まことに筋がとおっており、わからずやの訪客たちにも納得がいった。

黒川先生の目の柔和さは、話をきくにつれて、一同にはさもありなんと思われた。この柔和な目の中にこそ、狩人の子供らしい残酷さが、ひそんでおり、狩る鳥や獣に余計な感情を想像しないことで、この柔和な光の保たれている所以《ゆえん》が、わかったのである。黒川氏の信念はこうだった。狩の目的の動物の中に何かの「心」を想像することと、それは心が心を狙うことであり、人間同志の殺し合いと同じことになるというのであった。

2

それから四日間、三人組の淑女は、口説き落しのために、熱心に日参した。祖母は入歯の修理もついでにたのみ、二日目に折よく、伯母が豆板をたべて歯を痛くしたので、彼女は治療台に坐《すわ》りながら、

「ねえ、先生、わたくしをこうして助けて下さるように、姪《めい》夫婦（と、彼女は言っ

た！）を、助けて下さいませ。あわわわ」

と言ったのは、言いおわらぬうちに、うがいを命ぜられた音である。

毎日、彼女たちは都心の旅館から、三越前まで歩いて、そこから市電に乗って、中島公園通で下りるのである。

またしても、晴れた毎日がつづいていた。札幌市の中央を横切る大通り、と言っても車馬がとおること叶《かな》わぬ半緑地帯の大通りで、夏の日ざかりというのに、オフィスの昼休みをもてあましている若い連中がキャッチボールをやっていた。

誰に見せるともなしに、三人はおめかしをし、着換えの持ち合わせの少ないことをなげいた。祖母の如きは、仕方なしに水白粉《みずおしろい》を首筋にまで塗りはじめ、

「きょうは黒川先生を悩殺して、色仕掛でうんと言わせてやりましょう」

という口調は冗談だが、その可能性を半ば信じているらしいのには顔負けであった。

大通りには伐採を免かれた巨大な楡《にれ》が、涼しいこまやかな日影を落し、御用聞きらしいのが、根にもたれて午睡をとっていた。乳母車に赤ん坊をのせた肥《ふと》った女が、休暇をもらったらしい若い予備隊員と、ねんごろに話しながら歩いていた。とこうするうちに市立図書館の時計台が一点鐘を鳴らし、犬が撒水車《さんすいしゃ》に水をかけられてけたたましく吠《ほ》え、目のあたりを金いろの重い羽音を立てて虻《あぶ》がとんだ。

彼女たちがお粧《めか》ししたくなるのも道理であった。それは彼女たちがはじめて、自分のなすべき仕事を、情熱を見出《みいだ》したからである。わけても五日目の午前、三人は意気揚々と宿を出た。朝早く親切な成瀬編集長が、宿へ電話をくれて、新ニュースを提供してくれたからである。

黒川歯科医院の待合室兼応接間で、三人はライフをめくりながら、先生を待った。露台の藤棚を、下方から午前の日ざしが明るませていた。

「まあ、気味のわるい」

色つきの顕微鏡写真の朱や青の黴菌《ばいきん》を見て、祖母がそう言った。スペインの派手な結婚式の写真を見ては、おお、きれいと云い、危険なサーカスやヨット・レスの写真を見ては、おお、こわいと云った。そういうわけで、日頃とかく角突き合うこの三人は、万事につけてふしぎと意見が合った。もっともこんな意見なら、合わなかったら、どうかしているが。

黒川先生が今度は白い手術衣で現われた。代表で発言したのが母である。

「あの、おしらせに上ったのでございますが、例の熊が、あれからもう二回同じ村へあらわれたそうでございます」

「同じ村って？」

「はい」

横から伯母《おば》が地図をひろげた。支笏湖から千歳町へ千歳川が流れている。その流域の七十戸ほどの小部落に、すでに赤鉛筆で印がつけられ、その名は明瞭《めいりよう》に、コタナイ・コタン、即ち古太内《こたない》古潭と読まれるが、その位置は、例の負傷者が出た支笏湖畔の部落との間に、紋別岳山麓《もんべつだけさんろく》の土地の起伏をはさみ、しかも井田毅が、美しい少女を失ったランコシ・コタンよりは、二里以上、上流にある。

「ああ、コタナイ・コタンか」と、黒川氏は自分の庭の話をするように言った。

「あそこの連中ならよく知ってます。それで？」

成瀬氏からの情報では、例の負傷事件の明る日から、俄《にわ》かに人喰《ひとく》い熊は進路を変え、緬羊《めんよう》をとりにこの部落へあらわれるようになった。熊は遠出にあきて、根拠地ちかくを荒らすようになったらしい。すでに二回、四本指の熊はコタナイにあらわれた。そのたびに緬羊が二頭三頭と、とられるのであった。例の青年が女を連れて、すでに昨夜から、この部落に来ているが、熊の来る方向が毎日ちがうので、張込みがむつかしいのと、女連れに対する反感とで、部落の人たちは、乗気になっていないというのである。

「ふむ、なるほど」

黒川氏は髭《ひげ》をつまんで考え込んだ。彼もこの熊には永い関心が、あるらしかった。

「今までの足取を考えますと、今度あたりが、いちばん可能性がありますな。ふん、……そうね、ふん」

黒川氏は、しばらく考えていて、部屋の中をぐるぐる歩き出した。雷鳥の剝製《はくせい》の前へ行って、しかつめらしい顔で、そのクチバシをじっとつまんだ。

「あの、村長に御名刺でも、いただけましょうか」

「いや……そうね、ふん」

黒川氏は、うろついた末に、階段を上って来た女客と、すんでのことでオデコをぶつけるところであった。

「どうぞ、診察室へ。今すぐすませます」

女客は、けげんな顔をしてカーテンをくぐった。やがて黒川氏は子供のように顔をかがやかせて叫んだ。

「決めました。行きます、私が行きます」

三人組は喜色にあふれて、

「まあ！ 先生」

と、言ったきりで言葉も出ない。

「今日の夕方、早速発《た》ちます。コタナイ・コタンのものは、私が懇意ですから、よいように取り計らいます」――彼は診察室へ声をかけた。「あなたは倖《しあわ》せですよ。あなたで今日の診察は、おしまいにしますからね」

第二十三章　苦難の恋人

旅も、おわりに近づいたこのごろになって、ようやく夏子に人の世の冷たさが、わかって来たようである。旅の幾たびかの失望と疲労とで、その白い頬は日焼《ひや》けを防ぎかね、その目には疲れの影が宿りだした。

それでも、彼女の美しさが衰えたというのではなかった。まだ誰も見たことのない夏子の地味な美しさが、ようやく外へあらわれて来たのである。

負傷者を見舞ってから、二人は千歳の旅館に泊っていた。二人は別々に部屋をとり、あいかわらず毅は、おあずけを喰っていたが、馴《な》らされた彼は、妙に精神的になって、この虐待を、さほど辛《つら》い苦行とも思わないようになっていた。とりわけ彼には、生れつき健康な熟睡の天分が与えられていたのである。

程遠からぬコタナイ・コタンの熊の噂は、すぐ千歳町にも伝わって来た。この近代化された町にいれば、今日ではもはや熊の恐怖の実感はない。

しかし一昔前は、小学校の庭に出て来て、石垣の上にあぐらをかいて、子供たちの遊戯を見ている熊を発見して、大さわぎになったこともあり、沿岸航路の船員が、この白い大きな汽船を、崖《がけ》の上であぐらをかいて熱心に眺めている熊の姿を見たこともあった。

戦争中でさえこういう話がある。

千歳町の一角にある高台の墓地のあいだから、あるよく晴れた秋の日、一頭の大きな熊が、ゆったりと現われて、街路をよぎっていくのを見た人がある。彼はあわてて、町役場へかけつけた。町役場では十数人の事務員が、日ざしの明るい新築の木造家屋の中で執務していたが、熊を見たあわてものは、役場へとび込んでくるなり、

「畜産係はいませんか」

と、きいたものである。

畜産係の老人は、巻いていた紙巻煙草の手を休めて、風に飛ばぬように、配給の煙草を新聞紙にゆっくり包むと、それを抽斗《ひきだし》にしまってから、今巻いた煙草に火をつけ、ゆっくり立上って、顔色のかわっている客の前へ行った。そもそも畜産係に、顔色のかわるような用件のあるわけはない。老人は、のんびりとこう訊《き》いた。

「畜産係は私ですが、何の御用ですか」

「何の御用どころじゃありません。く、熊が出たんです」

「ひえっ」

そのころ熊は、街路をこえて鉄道線路の柵《さく》をまたぎ、働いている線路工夫の前にあらわれた。彼らは腰の抜けるほどおどろいて、鶴嘴《つるはし》をほっぽり出して、一目散に逃げ出した。

——急をきいて千歳駐在の海軍一ヶ分隊が出動した時は、熊の姿は影も形もなかった。

…………………………。

毅と夏子は又しても、その熊が四本指の熊だときいて、あとを追わねばならぬ義務を感じた。午後の最終の支笏湖行のバスに乗った。蘭越をすぎて、しばらく行ったところで下りて、あとは半里あまり歩くのである。

二人は、バスの窓から移りゆく夏の木立と、その間にうかんでいる夕雲をながめ、道のせまいところでは、あわてものの鳥が、ぶつかるようにはげしい羽搏《はばた》きのような音を立ててバスの窓を擦過する枝葉におどろいたが、すべての感動は古びて感じられ、最初に牧場へ行ったときのような、軽快さと新鮮さで身内のはちきれる思いはなかった。コタナイへ行っても、又々あの神出鬼没の熊に逃げられるような予感がしたのである。

バスを下りると、二人は千歳川の流れに沿うて歩いた。およそ人に会わない道である。毅の肩にかけた猟銃の革サックも、夏子の頭をおおうスカーフも、いつのまにか白い埃《ほこり》をかぶっていた。

コタナイの部落が見え出した。川をはさんでひろがる盆地のような一劃《いっかく》である。一人の少年が、放牧の緬羊を自分の家の小屋へ追っていく影が、夕日のために長く伸びている。毅は少年に菓子を与えて、村長の家をきいた。

部落は死んだように静かである。屋根にのせている石の影までが長くのび、どの屋根も片側が夕日に映え、片側は暗い。部落の中央に、高いイタヤの木が年老いた酋長《しゅうちょう》のようなおごそかな様子で立っている。

村長のアイヌの家は、非衛生なアイヌ家屋が禁止されているので、同じような都営住宅式の小家屋の一つであった。案内を乞《こ》うと、夕闇の濃い室内から、にじり出て出迎えた人がある。その顔を見て夏子が、顔色を変えてとびのいた。これが二人が部落の心証を害した第一原因である。

夏子が、びっくりするのも道理、二人を出迎えた六十恰好《かっこう》の村長夫人は、着物こそ妙なブラウスにズボンを穿《は》いているとはいえ、顔にはこのごろはあまり見られない恐ろしい刺青《いれずみ》を施していた。口が耳まで裂けているような刺青である。肌の色がまた、土気色で死人のようである。

「何の御用ですか」

毅が、熊狩りのための一泊を申出ると、

「無駄ですわ。およしなさい」と、老婆が言った。毅は引出物の焼酎《しょうちゅう》を献上した。

奥の一間から陰気な咳《せき》が洩《も》れてきた。

「肺病の咳よ」と、夏子がつぶやく。

「老主人は肺病らしい。アイヌには老人の結核が多いんだ」と、毅が低声《こごえ》で答える。

「どうしよう。泊るのこわいわ」

夏子が言ううちに、老婆はまたにじり出て来て、夏子をじろじろ見ながら、こう言った。

「熊は無理です。あきらめなさい。日の暮れぬうちにおかえりなされや。家へは泊められませんし、どこの家でも女連れでは、お断りじゃろう。あの人喰《ひとく》い熊を射止めようというほどの人が、女を連れて歩いているのでは、まじめにとられませんよ」

老婆は上目づかいで笑ったが、その口が本当に裂けたような気がした。毅は、ほかの二三にも当ってみたが、すげなく断られた。野宿しようにも、熊が危ない。するうちに日はとっぷり暮れ、二人は明るい窓から洩れるラジオの歌謡曲に耳を澄ましながら、河原でさびしい夜食の弁当をたべた。

「何て冷淡な村だろう」

毅は夏子の体が夜露に濡《ぬ》れるのを怖れた。

リュックサックから毛布を出して、その肩を包んだ。川の上の空には星がまたたき出した。

「熊が出てきたらどうしましょう」

夏子が不安そうに言い出した。

「勿怪《もっけ》の幸さ」

毅の言葉にも、どこかに冷たい響があった。

第二十四章　蘭越古潭の夜

1

これではいつ熊が出てくるかわからない。夏とはいえ、夜は大そう寒い。毅は枯枝をあつめて火を焚《た》いた。携帯食糧の食事のあとで、元気をつけるためにポケット・ウイスキーを少々呑《の》んだ。手から手へ渡される壜《びん》の蓋《ふた》に充《み》たされた琥珀《こはく》の酒には、焰《ほのお》の影があかあかと映っている。

「どう、勇気を出して、もう二三軒当ってみましょうか」

「うん」

毅はいつもに似げなく即刻の判断を下さなかった。家々の軒下で、アイヌ犬が鋭い狼めいた遠吠《とおぼ》えをして呼び合った。

「そうだ、やっぱりランコシへ行こう」

「これから？」

「うん、この部落に泊っても、冷たくあしらわれるばかりで埒《らち》が明かないよ。一人で立番をして熊を仕止めるのはむずかしい」

「でもあなた、誰も助けてくれなかったら、一人でやると仰言《おつしや》ったわ」

「あれかい。あれは強がりさ。ランコシへ行って大牛田十蔵にたのんで、ここの村長を改めて口説いてもらうのさ。今晩熊が来ても、見のがすほかはないだろうね」

英雄ははじめて弱音を吐いた。彼の胸裏にいいしれぬ無念のわだかまっていることはわかっていたが、夏子はもう少し彼の子供っぽい強がりを聴きたかった。それに第一、彼女には人喰い熊がちっとも怖くなかったのである。

ランコシまでの道のりは遠い。二人は懐中電灯をもってはいたが、歩き出すと夜道の暗さは月のない星月夜のことで、すさまじかった。

——蘭越《コタン》……。

その部落のかたわらを往きのバスでとおったとき、夏子は毅の指さすところに、ここと同じような平凡な家並を見ただけだった。毅が今まで蘭越に立寄らなかった気持が、夏子にはわかる。常識で考えれば、彼は来道後いの一番に、そこを訪れているべきなのである。

彼はおそらくそこの思い出にひたることがおそろしいのだろう。その思い出の中に夏子を置くことが憚《はばか》られるのだろう。彼は黙って仇《かたき》の熊を討ち、自分一人の心に満足して、黙って東京へかえるつもりだったのであろう。

さっき通りすぎたとき蘭越古潭の空には、夕雲がほのかに匂っていた。二三本のポプラがそそり立ち、南瓜畑《かぼちゃ》が道ぞいに埃《ほこり》を浴びていた。道の上には人影がなかった。コタナイからランコシまで、道は千歳川に沿い、また隔たって、隔っている部分の両側は深い森である。

夏子の足は疲れていた。その遠歩きに馴《な》れないかぼそい足は、靴の中にマメをこしらえて悲鳴をあげていた。しかし負けん気の夏子は、泣言を決していわない。懐中電灯が照らし出す道の両わきの立木の奇怪な姿が、虚無僧に見えたり、首吊《くびつ》り死体に見えたり、老婆に見えたり、仁王様に見えたりする。夏子はゲエテの魔王という詩を思い出して、少々ぞっとした。

毅は毅で、「疲れた？」とも「もうすぐだよ」とも言ってくれない。そういう一言は、こんな場合女心にどれほど利き目があるかしれないが、それを知らない毅でもあるまいに、やさしい言葉をかけようとしないのである。

夏子は歩きながらこう考えた。

『今、この人にはあたくしが邪魔なんだわ。女連れだというので村長夫人に嫌われて、熊狩りに故障が出来たのが口惜しいんだわ。いいわ、あたくしだって、ちっとも済まなそうな顔をしないで、とおしてやるから』

森の中で夜の鳥が鳴き交わしていた。水音が近づいてくると、川が見えはじめた。

その異様な川面の明るさから、二人は月の出に気がついた。

立派な石橋がかかっている。毅がそこで歩みを止めたので、夏子はすまして先へ行こうとした。

「おい、休まないの？」

毅がそう言った。夏子はふりむいて微笑した。

「だってちっとも疲れていないもの」

そのまま歩きつづける夏子の足は、心もちびっこを引いている。毅が怒ったように、どなった。

「休みたまえ」

それでも夏子が先へ行くので、毅は追いかけて、肩に手をかけた。夏子がよろめくと、彼はこの可愛らしい天邪鬼《あまのじゃく》をいきなり羽交い締めにして接吻《せっぷん》した。彼の肩にかけている猟銃の革帯が夏子の肩に喰い入った。

『まあ、いやだ』と夏子は考えた。『さっきから黙っていらしたのは、このためなんだわ』

夏子はその長い接吻のあいだ、片目をちらとひらいて、頭上の星空を瞥見《べっけん》した。目の中に星が落ちてくるようである。口の中にその熱い滴がしたたってくるようである。大熊座が見え、小熊座が見えた。この親子の熊は、黒い光沢のある毛皮が夜空の黒にまぎれ入って、ただその爪や牙《きば》の燦《きら》めきだけが、われわれの目に映るにすぎない。

2

接吻がすむと、二人は腕を組んで歩いた。足は疲れを忘れた。毅の夜光時計が、夏時間の十一時半をさすころに、ランコシ・コタンのすでにまばらな灯がみえはじめた。

烏《う》柵舞橋《さくまいばし》をわたって村へ近づくと、番犬たちが一せいに吠えだした。毅の物語にあったとおりである。霧がほのかにかかり、のこりわずかな夜なべの灯はうるんでいる。すでにラジオの音もない。

部落はふしぎな、瞑想《めいそう》的な匂いに包まれていた。一言にして言えば、早手廻《まわ》しの秋の匂いである。夕ぐれどきの焚火《たきび》の匂いの残り香であり、厨房《ちゅうぼう》の匂い、川の匂い、昼間の暑さにしぼんだ草木が生気を取戻そうとしている息吹の匂いである。夏子は足もとに、名もしれぬ黄いろい小さな花を踏んだ。

毅は大牛田十蔵の家をよくおぼえていた。幸いにまだ起きている。あのころから一家は宵っ張りだった。

大牛田という表札のある玄関へ近づくと、犬が踏まれでもしたようにヒステリックに吠え出し、横の窓があいて、十蔵の細君がこちらをうかがうようにした。

「どなたです」

「井田です。御無沙汰《ごぶさた》しました」

「え？　井田さんですって」

「おととし御厄介になった東京の井田です」

「あーら！　井田さんだよ。お父さん、信子、松子、井田さんだよ」

窓に一どきに四人の首が並んだ。十蔵は青い目をしばたたいて、立上った。すぐ玄関の磨硝子《すりガラス》に、そのむくつけき影が動いた。硝子戸があくと、十蔵は毅のうしろに夏子の姿をみとめて、

「やあ、およめさん同伴かね」

と言った。

夏子は十分質素な身装《みなり》をしていたが、皆に迎えられておちつくと、その姿は信子と松子の目をみはらせるに十分だった。

十蔵は土産の焼酎《しょうちゅう》に酔って、はじめて毅をその青みがかった目で、久々に帰った息子を見るようにしげしげと見た。彼の目はうるんだ。涙が濃い真青な髭《ひげ》の剃《そ》り跡に伝わって一ト筋流れた。

「あら、お父さんが泣いてる」と廿一歳《にじゅういっさい》の姉娘が訝《いぶか》った。

「あら、お父さんが泣いてる」と十四歳の妹娘が口真似をした。

「お父さんが泣くなんて、ここ一二年もないこった。あのとき以来……」と母が言い淀《よど》んだ。

父親は毅の手を引張ると、黙って仏壇の前へ連れて行った。くすんだ写真が、安物の写真立に入れて飾ってある。夏子もそれに気がつくと立寄って手を合わせた。手を合わせながら夏子の「女」の目は、手札型の肖像写真を観察していた。秋子は笑って手をあげていた。その髪は風に乱れ、笑いながらその顔は、風にさらされて少しきつい少年のような表情を、目尻《めじり》のあたりに刻んでいる。ありきたりの顔である。千の林檎《りんご》の中の一つのように、ありきたりであればこそ新鮮な顔である。夏子はその写真がちっとも不二子に似ていないので、安心した。

毅はじっとその写真を見つめていた。彼自身、自分の情熱がすべてこの小さな写真の面影に懸っていることを信じかねる様子である。香煙のなかに、秋子の甘ったれた口数の少ない話しぶり、その声、その眼差《まなざし》、その小鳥のような口笛、そのすばしこい身のこなしが、何もかも蘇《よみが》えるように思われた。彼の目には涙が光らずに、新しい怒りが光った。

『あの熊をきっと殺してやる！』

かたわらから夏子は、そういう毅の目の中に夏子の存在が全く無視されているのを感じとって、自分の恋のふしぎな矛盾のすがたを、今さらながら、おどろきを以《もっ》て見ずにはいられなかった。

第二十五章　登場人物一堂に会す

あくる朝、二人のあいだには一寸《ちょっと》した暗雲が低迷していた。疲れと苛立《いらだ》ちとよみがえった怒りとから、昨夜、毅が約束を破って、けしからぬ振舞に出たのである。夏子はせまい家のなかで、隣りに寝ている人たちの耳を憚《はばか》って、けんめいに小声でさからった。とうとう彼女はこう言った。

「今、あなたの頭は秋子さんのことしか考えていないわ。あたくし、死んだ人の代役をつとめるのはいや。あたくしは夏子よ、秋子ではないわ」……夏子は弟をさとすような、温かい、おちついた声になった。

「ねえ、あたくし、そういう最初の晩に、あなたの昔の恋人の身代りをつとめるなんて、できないわ」

しばらくして毅は唾《つば》を呑《の》んだ。こう言った。

「ごめんね」

それきり静かになったとおもったら、あっけなく寝息を立てだした。

――そういうわだかまりが、別にどちらに恨みがのこっているわけでもないのに、朝まで持ち越されたのである。

大牛田十蔵は朝早く自転車でコタナイ・コタンへ出かけて行った。毅のために、その日の仕事を休んだのである。彼はもとより、毅がこうして訪ねてくれた以上、仇討《かたきう》ちにはたのまれないでも一役買うつもりだった。十蔵はコタナイの人たちを口説き落す自信があった。

夏子と毅は、朝の路上に十蔵の自転車を見送った。夏子はその足で大牛田の家へ引返そうとする。毅は引返さないで、露に濡《ぬ》れている小径《こみち》を山のほうへ歩いた。彼は駈《か》け出した。何か身内にもてあますものがあったのである。

夏子は昨夜から信子と松子に根掘り葉掘り東京の話をきかれて困っていた。廿一歳の信子は東京ではどんな洋服がはやっているか、十四歳の松子は少女歌劇が見たいがどんなにきれいなものか、とたずね、少女歌劇が巡業で札幌へ来たとき、見せてくれなかったのを思い出して、母親を責めた。訊《き》かれた夏子は困っていた。ついこのあいだ発《た》って来た東京を、一年も見ないような気がするのである。東京、地図上の小さな一点、はるかかなたのごみごみした小さな都会、その他に何の幻想もうかばない。東京をどう説明しようというのか。銀座には何があるというのか。何もない。一ぱい詰った空虚、セロファンの袋につめたボンボンのような空虚、それだけである。

彼女は窓から裏山を眺めた。緑が夏の朝の日ざしに炎《も》えていた。やがて山頂に黒い人影があらわれて、

「おーい」

と呼んだ。

呼ばれているのが、まちがいなく自分だと感じる誇らしい喜び。……彼女はおどろき顔の信子と松子を残して、運動靴をすばやくはくと、山頂へ通じる小径を駈けた。牝鹿《めじか》のように駈けのぼる脚は大そう軽く、朝露にしめる運動靴はほてっている彼女の足の裏を冷やした。笹をわけて、夏子は駈けのぼる。頂きへつくと、強い腕が伸びて、彼女の体を救い上げた。

「ごらん」

と毅は言った。

彼方《かなた》の山あいにコタナイ・コタンの屋根屋根が光っている。その彼方には、紋別岳がうすむらさきにうかんでいる。眺望一面に朝霧がはだらにかかっている。丁度コタナイのあたりだけ霧が晴れて、千歳川が水銀いろの一線をくねらし、これをとりまく霧が、朝日の金色に染まっている。しかも霧はゆるやかに動き、近くの山腹の木むらの幹が、一本一本次第に分明《ぶんみよう》にかぞえられた。

毅は夏子の肩に手をかけていた。二人は同じ思いでコタナイのほうをみつめてい

た。あの森の彼方、あの流れの奥に、二人のめざす一頭の兇悪《きょうあく》な熊がいる。今ごろは巣にかえって眠りについている時分だろう。二人にとってその熊は、仇敵《きゅうてき》なのか、それとも理想なのか、見分けがつかなくなっていた。

――夕刻、十蔵がかえって来たが、暗い顔をして、食卓につくと、毅にこう言った。

「ゆうべもコタナイに例の熊が出て、緬羊《めんよう》を三匹とられたそうだ。しかし、コタナイの奴等は腰抜けだ。村長が病気で寝ているせいか、誰にも気力がないのだ。東京から鉄砲打ちが来たって、あの魔物を仕止められるわけはないとうそぶいている。ランコシに又魔物が出るまで、こっちは我慢して魔物の気のかわるのを待っている、などと言っている」

「僕たちが、かまわず行ったらどうでしょう」

「誰も協力せんだろう」

こう言うと十蔵は溜息《ためいき》をつき、一同は麦のまじった御飯を前に、箸《はし》を置いて、ぼんやりしてしまった。

すぐ目の前に御馳走《ごちそう》を出されながらお預けを喰《く》らっている犬のようだ、と夏子も思った。

ここまで熊を追って遍歴して来ながら、もう一歩というところで、熊をみすみす見のがしているのである。

「もう一日待って、向うがうんと言わなかったら」と毅は言った。「十蔵さんと僕と二人でかまわずに行って網を張ろう」

「うむ、それもいいが」と落ちくぼんだロシヤ人めいた眼窩《がんか》の奥で、青みがかった目が考え深そうに目《ま》ばたきしながら、「もう二日、交渉に行ってみて、あさってもだめだったら、それからでも間に合うだろう。熊は大体二日おきに出ているのだ。ゆうべ出たからには、今日明日は出ないと思っていい」

「十蔵さんに任せよう」

と毅が言った。彼はこのために十蔵が仕事を休んでくれていることが心苦しかったが、それは言わずにおいて、黙って十蔵の厚意を謝したのである。

しかしあくる日もだめだった。コタナイの部落には死んだような無気力が支配しているということだった。丁度コレラのはやった地方のように、むかしは尚武の民族であったものが、今は衰えた血を怠惰に犯されて、何をする気力もないらしかった。

三日目の十蔵の帰宅を、毅と夏子はどんなに待遠しく待ったことだろう。

毅は一日猟銃の手入れをした。ミットランド銃の銃身は黒光りのするまでに磨き立てられ、銃口内部をのぞくと、鯖《さば》の背中のような青い鋼の光沢を放っていた。

何度も毅は、

「まだかな」

と独り言のように言うのであったが、そのたびに夏子も、路上に出て、コタナイの方向から欣《よろこ》ばしげにベルを鳴りひびかせて来る自転車の影を探した。その日の十蔵のかえりはおそい。道は暮れはじめた。かすかに霧が漂いはじめ、その中を灯をともして近づいてくる自転車を見て、もしやと思うと、それはみんな木こりたちの帰宅であった。

彼らは十蔵の家の噂の高い新入りの女客の顔を、穴のあくほど好奇の目で見てとおりすぎた。下等な言葉でからかっていく若者もあった。

夜になった。一同は夕餉《ゆうげ》の卓についた。

誰もあまり喋《しゃべ》らない。母親が、

「もしか、お父さんの体に怪我でもあったんじゃなかろうかね」

と言い出したので、松子は、そんなこと言っちゃいや、と云って両手で耳をふさいだ。

信子が気を引立てるためにラジオのスイッチを入れた。騒がしい音楽が流れて来た。ふだんこの一家はジャズなんぞを聞かないのであるが、今夜はまじめな強《こわ》ばった顔で、ホットジャズに耳を傾けた。アメリカの馬鹿囃子《ばやし》だね、と母親が言った。

夜八時すぎだった。

自動車のクラクションがなりひびいた。車の止った音がして、エンジンが唸《うな》っている。

昔、十蔵からきいた、秋子のふしぎな母親をのせた車の音を思い出した毅はぞっとした。

十蔵の家に自動車のとまる筈《はず》はない。

一家は身を固くして聴耳を立てるばかりである。十蔵の声がきこえたので、皆がはっとすると、玄関があいて、帰ったよ、と十蔵がどなった。その声の朗らかさで成功を直感した毅は、玄関へとびだした。

「どうだった？」

「うまく行った。うまく行った。万事、黒川の旦那《だんな》がやって下さった」

「黒川の旦那？」

十蔵のうしろから、小柄な、小ぶとりの、ニッカボッカ姿のちょび髭《ひげ》の紳士が進み出て握手の手をのべた。

「猟友会札幌支部長の黒川です。去年は失礼しました。私がコタナイには話をつけて来ました。これからコタナイへお供しましょう」

毅は無言で黒川氏の手を握った。この感激は彼に学生時代を思い出させ、対校競技の勝利のときに友達とした熱狂的な握手を思い出させた。それにしては黒川氏の手は皺《しわ》が多すぎた。

毅が助手台に乗り、黒川氏と十蔵と夏子が座席へ乗り込んだ。千歳町役場の公用の自家用車は、大牛田一家の声援に送られて走り出した。

コタナイへ着いたとき、村の入口にもう一台、新聞社の旗をひるがえした自動車が停っている。黒川氏が命じてその前で車を停めて皆降りた。すると向うのドアもあいて下りてくる。

夏子は「あっ」とおどろいた。

降りて来たのは、祖母、母、伯母《おば》、それに野口である。伯母がまず大声をあげて泣き出して泣女の役をつとめ、夏子は祖母と母とに両方からかじりつかれた。

しかし毅に野口から紹介された夏子の母は、日頃の礼儀作法を少しも忘れず、この少女誘拐者に向って、つつしみ深い挨拶《あいさつ》をした。「夏子がいろいろお世話になりまして」

第二十六章　詫《わ》びるのも奇妙な成行《なりゆき》

「夏子がいろいろお世話になりまして」

　というこの挨拶は、考えようによっては、世にも珍妙なものであり、常識が時たま犯す非常識のお手本のようなものであった。

　夏子の母親のために悲しむべきことだが、はじめて見る毅の風采《ふうさい》に、彼女の考える「良家の子弟」のまぎれもない特徴――言葉づかいの品のよさとか、一寸《ちよつと》した頭の上げ方から感じられる育ちのよさとか――そういうものがなかったら、おそらく彼女の口からあんな挨拶は出て来なかっただろう。

　犬が別の犬をかぎ当てるように、彼女は毅のうちに、夏子のまだ気附かない匂いをかぎあてて、それが彼女を安心させた。これこそ年の功というものである。

　夏子の両手を両方からつかまえて、祖母と伯母が、母と毅のほうへ近づいて来た。母が自分の息子を紹介するように、毅を二人に紹介した。

「はじめまして、松浦でございます。今後とも何分よろしく」祖母が切口上で言ってのけ、伯母が今こそ公然とゆるされた涙を、濡《ぬ》れ雑巾《ぞうきん》のようになった手巾《ハンカチ》でかきまわしながら、小さい声で、「まあ！　井田さんでいらっしゃいますか、お噂はかねがね」と、とんでもない挨拶をした。

　毅が顔を真赤にしてどぎまぎしているのを見て、小男の支部長が、鴨居の神棚に手をかけるように彼の肩へ手をのばして辛うじて叩《たた》いて、

「やあ、井田君、何も恐縮することはありませんよ。御夫人連は君のために、私の助力をたのみに来られたんだから」

　と言った。

　毅はいわば観察されていた。涙の中から油断のならぬ女たちの六つの目で、丹念に観察されていた。見かねた夏子は、彼に寄り添って、腕を組みながら、こうささやいた。

「気になさらないでね。みんな、あなたに厚意をもっているらしくてよ」

　一同が宿舎に充てられた村長の別宅へゆくあいだ、黒川支部長、野口、毅、夏子、十蔵は先に立ち、女三人組はおのずと固まってあとになった。

　毅が野口にこの突拍子もない訪客の由来をたずねると、野口や夫人連の来訪を支部長も意外に思っているらしく、顔を向けて、野口の返事に聴耳を立てた。

「いやね、それを一番はじめに僕が言うべきだったんですが、あんまり奥さん連が大さわぎをなさるんで、圧倒されちまって、喋《しゃべ》れなかったんです。実は成瀬編集長

から命令をうけて、熊狩りの記事をとるために黒川さんのあとを追っかけろ、と云われたんです。ところがその自動車に、御三人が強引に乗り込んで来ちゃったんです。ここへ来るまでのドライブのあいだ、御三人はもう昂奮《こうふん》して、大へんなんです。僕がぼんやり黙っていたら、『あなたは一体、わたくし共が久々で娘に会えるのが不服でいらっしゃるの？』とやられちゃいましたよ」

後続の三人は、早速殺の噂をしていた。

「そんなに色魔に見えないじゃございませんか」

「でも、人は見かけによらないから気をつけなくちゃだめよ」

「しかし私の見たところでは」と祖母は、こういう場合に落着きを見せなくては見せ場がない、というような仔細《しさい》らしい調子で、

「ありゃあとにかく、悪いことのできる人相じゃないね。顔を赤くしていましたからね。とにかく意外なほどお坊ちゃんで、拍子抜けですよ」

三人はそれ以上こうした論理を進めると、夏子が誘惑されたのではなく誘惑したのだという自家撞着《じかどうちゃく》に陥るので、気をつけて喋っていた。

一行が気がついてびっくりしたことは、村じゅうこぞって出迎えていることであった。そう思ったのは己惚《うぬぼ》れで、めったに自動車の止ったりすることのないこの村に二台も止った上、見馴《みな》れない客が下りて来て泣いたりわめいたりしはじめたので、

どこの家でも見物に出たのである。

アイヌ犬たちも吠《ほ》えるのを忘れて眺めていたし、女の子の腕に抱かれた猫は、足もとの犬を見下してうなっていた。小さい男の子たちは、夫人連のあとを、いつのまにか一連隊ほどついて来ていた。おかみさんは赤ん坊を抱いて玄関前に立ち、亭主は焼酎《しょうちゅう》のビンを片手に、チビリチビリやりながら見物していた。とある窓から、灯を背にして、見物している家族は、芝居の桟敷《さじき》にいるようであった。おまけに蓄音器をもっている一家族は、この時ぞとばかり、赤城《あかぎ》の子守唄《こもりうた》の浪花節《なにわぶし》レコードをかけていた。たまたま帰省していた予備隊の息子は、母親にこう説明していた。

「ああいうのが、有閑マダムというもんだよ。あの婆アの厚化粧はどうだい。おっかさんのほうがよっぽど美人だ」

アッパッパを着た六十歳の母親は、この息子の真実味のあるお世辞にうっとりした。

一行は村長の二号さんに迎えられて、四間ほどあるその別宅におちついた。二号さんはもう六十にちかい肥《ふと》った小ぎれいな人である。もと千歳町で芸妓《げいぎ》をしていたのを村長が囲ったのである。浴衣《ゆかた》の首に、どういうつもりか、不二絹《ふじぎぬ》の薄青いスカーフを巻いている。

一行は土産物を出し、二号さんは秋田訛《なま》りで礼を言った。そういえば、その白いふくよかな肌には、秋田美人のきめのこまかさの名残があった。サイダアが出される。一同は思い出したように汗を拭《ふ》いた。どこかで虫が鳴いている。

八人は何となく打ちとけないで黙っている。毅が夏子の耳に口をつけてこう言った。

「面倒だから、僕が悪者になって、詫びちまおうか？」

「およしなさい。そんなの理窟《りくつ》に合わないわ」

「そういえばそうだなあ。詫びようがない」

彼女をちらりと見た彼の微笑を含んだ目には、からかうような色があったので、夏子は柄にもなく赤くなった。

「それにしても、よく御老体がここまでおいでになりましたなあ」と支部長が祖母に言った。

「わたくし、年寄ではございません。年をとるまいと思ったのが卅《さんじゆう》の年で、それ以来年をとっておりません。松浦の家へ嫁にまいりましたとき、いびきをかくまい、と思い立って今までかいたことのないわたくしでございます」

この自己宣伝に母は伯母と目じらせして笑いたかったが、伯母はいつのまにかうしろを向いて、八畳の床の間を眺めていた。

「まあ、お見事な、投入れのお花。まあ、この百合《ゆり》のきれいなこと、どうでございましょう」

この礼儀作法に一向反応がなかったのは、女主人がお茶を入れに立ったあとだったからである。

支部長は肝腎《かんじん》の熊の話に入るつもりだったが、夫人連が夏子のことばかり喋り出したので、口を出せない。

「おや、まあ、照れてこっちへこないのね、夏ちゃん」

「そんなら伯母さまのそばへいらっしゃい、そんなにもじもじする夏子じゃなかったわ」

「でも一寸《ちょっと》見ないうちに大人になったこと」

「会いたかった、会いたかったわあ」と伯母が又あわてて袂《たもと》を探り出したが、手巾がみつかって取り出されると本式に泣き出すに決っているので、母が横から袂をしっかり握った。すると出かけていた涙が止ってしまった。

正直のところ、こういう感情には幾分の誇張があった。出奔当時の五里霧中のときに夏子に出っくわせば、喜びも百倍だったと思われるが、その後彼女の安否も居所もわかるにつれ、今では夏子が目の前にいることは、さしたる奇蹟《きせき》でも驚異でもなかったのである。

村長の指名で、熊狩りの手つだいに出る若い者が、玄関先で「こんばんは」という大きな声がした。入って来た五人の一人は、予備隊員で、あとの四人はアイヌ特有の暗いしかし情熱的な顔付をした若者たちだった。

十二三人で八畳は雑沓《ざっとう》した。打合せのために支部長が畳にひろげた地図は、つめかけた膝《ひざ》に犯された。コタナイ附近の略図はこうである。

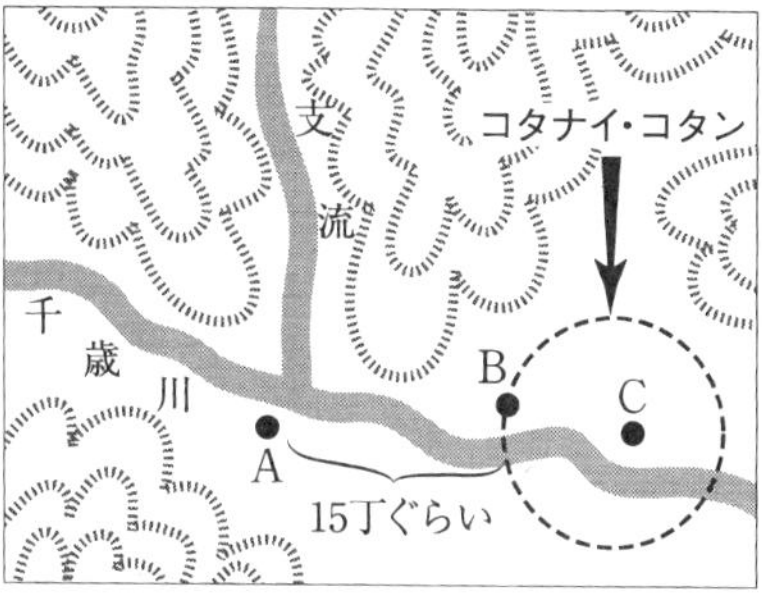

「千歳川と支流との接点をA、そこから十五丁ほどある村の入口をB、この近くをCとしましょう」と支部長は、地図の上へかがみこむ大ぜいの黒い頭の影を追いちらしながら説明した。
「どっちみち熊は山から出て来る。支流との接点で一遍崖《がけ》を下りて、川の中を歩く。そこで足跡を消すんだ、と村長はいわれるが、わざとかどうかわかりません。そこから村までは河原づたいに来るらしい。
Aに三人、B点は連絡場所だから二人、Cに三人、張込みをやります。今晩は来るまいから、明晩からやります。井田君はどこへ行くね」
「僕はCを受持ちましょう。つかまるんなら、きっとここです」

「さあ、それはどうかね」

「ともかくあしたの晩から、囮《おと》りに緬羊《めんよう》を夜じゅう外へ出しておいてもらいましょう」

「あたくしは？」

と夏子が口を切った。

「まあ、夏子、もしものことがあったら」

と伯母《おば》が金切声をあげた。

「女はまことに実際は邪魔ですが」と歯医者の支部長は遠慮なく言った。「しかし恋人のそばを離れたくないとなれば仕方がない」

若い男たちはどっと笑った。

「C点になさい。村田銃の操作ぐらい、護身のために明日誰かに教わるんですな」

「まあ、夏子、鉄砲なんて大それた」

このとき祖母は女丈夫めいた発言で一座を制した。

「よろしい。夏子、やれるだけやってごらん。その代り夜分は冷えるからね、この靴下をはくんですよ。往きの汽車で編み出したのが、今やっと編み上ったところよ」

祖母が意気揚々と袂からつまみ出して皆の前にぶらさげてみせた黄いろい靴下は、

右と左の大きさが大分ちがうばかりでなく、丁度アメリカ映画の喜劇のコンビのように、一方は太っちょで、一方は背高のっぽであった。

第二十七章　闇にうごめく物影

その晩は何事もなかった。明る日は一日曇天で大そう涼しい。夜に入ると、村じゅうはこの英雄たちの壮途を祝って前祝いのどんちゃんさわぎをやりたがっていたが、熊を怖気《おじけ》づかせてはいけないので、常にまさって静かになった。

一同は大人しく一杯ずつ冷酒を呑《の》んで出発した。報道班員の野口は、B点の二人組に随行した。

毅と夏子と予備隊君ともう一人の若者とは、出発というのは当っていない。四人は二人ずつ、緬羊小屋の屋根にのぼっていき、楡《にれ》の木の影濃いところに、うずくまっていたからである。

緬羊はわざと柵《さく》のうちに放たれていた。彼らはときどき不安そうに鳴き交わし、汚れた体をこすり合わせて、うごめいていた。

毅と夏子は、この羊たちの匂いに閉口しながら、屋根の上で銃を抱いて寝そべっていた。毅は煙草に火をつけ、のこりの袋を隣りの屋根の二人に投げてやった。屋根の声は、

「おう」

と言った。やがてそこにも二つの煙草の火がまたたき出した。

毅は世にも幸福そうにみえた。ピカピカ磨き立てたミットランド銃を、そっと撫《な》でた。夏子の村田銃とは、こうして見ると、格段の品格の相違がある。この青年が自分の愛用の銃を見る目付には、真のやさしさがあふれていた。

「うれしい？」

夏子が自分の銃身に伏せた顔から、笑っている目を上げて、こう訊《き》いた。

「うん」

毅の幸福そうな様子は夏子を幸福にした。しかし今晩熊が来るかどうか、予断の限りではない。こういう期待と不安の一夜ははじめてのことではない。大ぜいの助力に有頂天になって、今夜を特別なものに考えてはならないと、彼らのたびたび裏切られた心は、自分に言いきかせた。そこで二人は、万一熊が来ないことを考えて、なるたけ物ほしそうでない平気な顔をしている必要があったのである。

「今何時？」と夏子が訊いた。別に時間を知りたかったわけではない。ただ話しかけたかったからである。

毅は夜光時計に瞳《ひとみ》を凝らして、

「十時三十五分、いや四十分だ」

と言った。そのとき楡の梢《こずえ》がざわざわと鳴った。夏子ははっとして空を見上げた。それはただ風が渡ったのである。

今夜は月もなく、星もなかった。

同じころコタナイ・コタンから十五丁ほど離れた川ぞいの崖の上で、黒川支部長と十蔵と若者一人とが、川の面を所在なげに見下ろしていた。前方には支流が白く泡立って合流している部分が、小滝のようにみえる。

十蔵は妙な睡気《ねむけ》におそわれた。彼は鉄砲をもちかえて、崖っぷちに積んである、これから流送するための材木に腰をかけた。それを見た若者も、材木のもう一端に坐《すわ》り直し、そう思うあいだに、膝を抱いて居睡りをはじめた。

十蔵はむかしやはり大事の際に居眠りをして、獲物をとり逃がしたおぼえがある。緊張がすぎると、睡気がさすものらしく、しかもその睡魔は抵抗しがたいものである。材木のもう一端にいる若者に声をかけて起そうとした。しかし両手が重くだるくなり、ただ、「起きろ」と声をかけるだけのことがたまらなく億劫《おっくう》に思われる。けんめいに目をみひらこうとするが、十蔵にも往年の若さと精悍《せいかん》さはすでにない。いい若い者が居眠りをしているのを、叱咤《しった》することもできない自分を不甲斐《ふがい》なく思っているうちに、淙々《そうそう》たる川音だけが耳にきこえて、十蔵は寝こんでしまった。

黒川支部長だけが、目をしっかりと川面に据えていた。この小柄な歯医者の中には、狩というと、別人のようなエネルギーがわきおこるものらしかった。彼は鉄砲の冷たい抱き心地が、毅と同じに大好きだった。温かい女を抱くよりも好きだった、と云っても誇張ではない。

川は白々と流れている。河原も両岸の繁みにおおわれて半ば暗い。ここから川までは十五、六間離れている。支流の奥のほうが屈折しているあたりに、時々しぶきが上るのがほのかに見えるだけである。それは丁度白い小鳥が波に戯れているようにみえる。

支部長は腕時計を見た。ほぼ十一時である。

夜気は冷えて来て、革のジャンパアを着てきたのに、まだ襟や袖《そで》から冷気がしのび入った。彼は朝方の寒さを想像して、ポケットに手をふれた。ポケット・ウイスキーの罎《びん》が手にさわる。黒川氏は一人でにっこりした。

そのとき、異様な匂いが漂ってくるのに彼は気づいた。匂いはだんだん強まり、ひろがってゆくようである。たえがたい生ぐさい匂いである。

『おや？　一度かいだことのある匂いだぞ』

と支部長は思った。彼は匂いの方向をたしかめようと見廻《みまわ》した。何も見えない。

しかし匂いはだんだん強くなるように思われる。

「ブスッ、ブスッ」

という音がした。いびきと鼻音のまじったような音である。その音とあの不潔な匂いがいかにもふさわしく感じられる。

『あっ、そうだ』

支部長はいそいで、十蔵と若者をゆすり起した。二人はぴくりと、けいれんでもしたように目をさました。

「出ましたか?」

「あれをごらん」

三人は笹のしげみの間からおそるおそる河原をさしのぞいた。

川上から川下の方向へむかって、川原を大きな黒いものがゆっくりと動いていく。

三人は銃を構えた。

黒川氏は手なれたブローニングを、あとの二人は村田銃を構えたのである。

村田銃はコーカンを起して一発ずつ弾丸をこめる仕掛になっている。しかしこの面倒な仕組も、老練な射手の手にかかると、目にも止らぬ早さで、弾丸がこめられては又発射されるさまが、精巧な五連銃とほとんど変りのないほどである。尤《もっと》も村田銃には安全装置がないので、危険防止のために、弾丸をこめてからは、コーカンを寝かさないでおく習慣である。発射の際には改めてコーカンを寝かさなければならない。

十蔵と若者はつとめて音のせぬようにコーカンを掌の中でそっと寝かした。

「カチン」

というその音は、人の耳をおどろかすには足りない音である。

しかし敏感な熊は立止った。暗い顔をこちらへ向け、鼻を鳴らした。ますます、なまぐさい、ひどくいやな匂いがした。三人とも麻酔をかけられたような、半ば夢ともうつつともつかない気持になった。一言にして云えば、生理的な嫌悪が嘔吐《おうと》を催させる場合の、あの名状しがたい「いやな気持」である。

銃を上げようとした刹那《せつな》に、熊の姿は消えた。

どこへ飛んだか、方角もわからない。全く一刹那に姿をくらましたのである。

熊は危険と思えば引返す獣である。考えられることは、元来たほうへ崖《がけ》の裾《すそ》ぞいに逃げたのである。熊はおおむね、人間の通る道しか通らない。

落胆した三人はそこで三十分以上、熊が又あらわれるのを待っていた。とうとうしびれを切らして、部落のほうへ歩き出した。

五六丁行ったとき、部落の空で、二発、銃声が夜気をつんざいた。

第二十八章　身の毛のよだつ来訪者

1

三十分前に支部長たちが、突如として姿を消した熊はもと来たほうへ引返したと考えたのは、誤算であった。

熊はそのとき、かれらが待機していた崖の下を、却《かえ》ってコタナイ・コタンのほうへ、まっしぐらに駈《か》けていたのである。

村長の別宅では、夏子の祖母と母と伯母《おば》の三人が、まだ寝られないでいるところだった。床はとられていたが、その八畳に三つ並べて敷かれた床の上で、三人は寝間着に着かえて、うれしくて寝つかれない修学旅行の生徒たちのように、おしゃべりをしていた。女主人もお茶菓子をもって入って来て、枕もとに坐《すわ》って、三人のおしゃべりに加わった。

夏子が毅たちとその屋根の上で張り込みをやっている家畜小屋は、この家の裏手の方、約百米先である。

母も祖母も泣き虫の伯母も、折角かわいい夏子に会えたのに、又ぞろあんな危険な任務にたずさわっている愚痴をこぼしてばかりいた。祖母は思い出したように、札幌で買ったとろろこんぶ三袋を、先刻さし出したいろいろさまざまなお土産の附録として女主人に進呈した。女主人は今沸かしたお湯があるので、それを電熱器でもう一度温めて、とろろこんぶをみんなでいただきましょうと提案した。それがよございますわ、と異口同音に皆が言った。

村長のこのふくよかな老二号は、女客たちが泰然自若として、何一つ手伝おうとしないのに内心おどろいていた。三人ともただ坐って喋《しゃべ》っているだけである。不意の来客に女手一人でてんてこ舞をしているのに気がつかないわけはないのに、何かお手つだいさせて頂戴《ちょうだい》と、お義理にも言わないのである。そのくせお茶やお菓子をもってゆけば、

「どうぞどうぞおかまいなく」

「まあこんなによくしていただいて……。旅先で人様にやさしくしていただくと、こんなにうれしいものか、はじめてわかりましたわ」

「まあ、きれいなお菓子」

「まあ、おいしそう」

「一ついただかないこと」

「お姑《かあ》さまからお先にどうぞ」

「まあ、おいしい。ほっぺたが落ちそうだ」

なんぞと言うのである。そのくせ大しておいしくなかった証拠に、夏子の祖母が餅菓子《もちがし》を半分だけ食べて、のこりを桜紙にひねりつぶしてあわてて袂《たもと》にしまうのを、女主人は見てしまった。

「熊は出ますかね」と祖母が呟《つぶや》いた。

「今日は出ない晩ですわ。黒川さんも予行演習だと言っていらしたわ」

母は万事に冷静で合理的な考え方をする。彼女には不安の影だになく、熊が一度出ないものだと決めてしまえば、あとはのんびりしていられるのである。伯母はというと、そうは行かない。

「どうしよう。もし出たらあたくし、どうしよう。熊の顔を見ただけで気絶しそうだ」

「気絶なすったほうがよござんすよ。熊は死んだものだと思いますからね」

「そうだよ。あなたに悲鳴をあげられたら、わたくし共まで迷惑しますよ。手っとりばやく気絶して頂戴ね」

「それにしてもあの井田さんって男はどうでしょうね」と母が言った。

「まあ、わるくはなさそうだ。しかし先へ行かなけりゃ、夏子のことだからいつ倦《あ》きるかわかりません。東京へかえったら、興信所かどこかで調べさせることですね」

祖母のこの一言に、母と伯母は首をかしげ、夏子のこんな熱の入れようは未曾有《みぞう》のことだから、今度は身を固めるだろうと反対した。

八畳の客間は、この村でも有数の豪勢な客室の筈《はず》であるが、壁にカレンダアの大《でか》いのが額縁代りにかかっていたり、古ぼけた安っぽい仏蘭西《フランス》人形が茶だんすの上に飾ってあったりした。

「このお床は一寸《ちよつと》不潔で気持がわるいわね」

と母が言った。

「そこが我慢ですよ。まさか南京虫は居りますまい」

「あたくし今晩、掛蒲団の端にタオルを巻いて寝よう」

「目立たないようにやらなくちゃだめよ」

そこへ湯気を上げているところこんぶの椀《わん》が運ばれた。皆は口々に、

「これはどうもおそれ入ります」

と言って軽く頭を下げた。一同が椀に口をつけて、その熱さに口を引込めたとき、かすかな笛の音がきこえてきた。

「何だろう」

夜はしずかである。すでに十一時をすぎているので、昼間の声高なラジオの音も何もない。その中でかすれた、息の音のまじりがちな笛がきこえたのである。

「ヒュー、ヒィー」

しばらくすると、それは止んだ。

聴耳を立てていた四人は、ほっとしたように顔を見合わせた。

「何でしょう、きみのわるい」と伯母がおろおろ声で言った。

「羊です。羊が何かこわがっている声です」

女主人がそう答えた。

「へえ、まあ何をこわがっているのでございましょう」

「熊が来たらしうございますね」

「えっ」

「熊が来るようになってから、羊を夜になると小屋に入れておくのですけど、今晩は外へ出してありますから」

「まあ、そこまで来ているんですか」

2

夫人連は、そわそわして衿元《えりもと》をあわせた。

「大丈夫。外をうろつくだけで、家の中へなんか入って来ませんです」

そのとき、またけたたましく犬のほえるのがきこえた。伯母がとろろこんぶのお椀を膝《ひざ》の上へ落してしまった。女主人は雑巾《ぞうきん》をとりに立とうとしたが、立上る彼女の袂《たもと》を伯母がつかまえて離さない。こわい目つきをして、睨《にら》みつけてこう言った。

「どこへいらっしゃるんです」

「一寸お雑巾をとりに」

「うそです。あたくしたちを置いて逃げるおつもりでしょう」

「まあ、まあ」と祖母と母が、とろろだらけになった伯母の肩を押えて、なだめた。女主人は一寸むっとして、首に巻いていた不二絹《ふじぎぬ》のスカーフを外すと、それをいきなり伯母の膝におしあてた。

「まあ、そんな！　申訳ございません」

祖母も母も、当の伯母までも、自分のハンカチを引張り出して、争って拭《ふ》こうとしたので、膝の上はハンカチの展覧会のようになった。

犬の声は大分遠い。その声の遠いことがよほど三人を安心させたので、祖母と母は安心を装うために、とろろこんぶを啜《すす》りはじめ、いつもに輪をかけて、「まあおいしいこと」「結構だね」という空お世辞を並べ立てた。

犬が泣きやんだ。

そのあとの沈黙が、皆をおびやかした。音と云ったら柱時計の音と、とろろこんぶを啜る音しかきこえなかったからである。

三人の目の前に窓があった。冬になると、外から板戸を下ろすのであるが、夏のことで、窓硝子《まどガラス》だけである。本当のアイヌ家屋になると、外から下ろす板戸だけで、硝子も何もなく、家の中で焚《た》くいろりの煙がその窓から逃げていく仕組になっている。

窓硝子はカーテンに覆われてはいなかった。桟がその窓を四つに区切り、そこには電灯に照らされている屋内がぼんやり映っているだけで、そとはよく見えない。

三人が一どきに、悲鳴とも何ともつかない、のどにものの詰ったような声をあげた。

その窓の桟に囲まれた区劃《くかく》一杯に、大きな熊の顔がのぞいていたのである。

三人は物も言わずに立上り、ふりむいてみた女主人も、放心したように立上った。雪崩を打って部屋を逃げ出すと、反対側の暗い三畳へ逃げ込んだ。

祖母は物のはずみで、片手にお椀を、片手に箸《はし》をもっていた。それを手放してはならない義理があるように、両手に大事にもったまま、廊下をかけぬけて、三畳へ行った。そのときお椀の中のとろろこんぶをこぼしてはならないという妙な意識がはたらき、夢中のうちにも水平に持って逃げたのである。

四人は三畳の一隅に身をすくめて立っていた。伯母《おば》がうしろむきになって、出来ることなら忍術を使って壁の中へ消えてしまいたいと念じているかのように、壁にしがみついて額を壁におしつけていた。

地鳴りのような音が起った。

家が揺れ、いま熊が、この一軒を押したおそうとしているように思われた。ついで木の裂ける音がして、おそろしい轟《とどろ》きが三人の耳に迫った。祖母は目を固くつぶって両手に椀と箸をもって、わなわなふるえている。あとの三人は、両手で耳を押えてふるえている。この轟音《ごうおん》は、あとでわかったことだが、裏手の角のさしわたし六寸の、トドマツの丸木柱を、熊がへし折った音である。

ついで裏手の勝手口の引戸が叩《たた》きわられた。硝子が床におちて、粉みじんにくだける涼しい音がした。

第二十九章　生きのかぎり忘れぬ一夜

1

熊が入って来たことは、もはや疑いようがなかった。

この前に、気のついた女主人が、三畳の入口の唐紙を閉めておいたので、熊の姿はまだ見えない。

母が薄目をあいて唐紙を見ると、唐紙がぐらぐら揺れている。夢中で祖母の肩にしがみついた。

唐紙が前へ倒れてきた。

祖母が渾身《こんしん》の力をふるって、お椀ごととろろこんぶを熊の鼻面へ投げつけた。実は、倒れかけた唐紙へぶつかっただけである。唐紙はとろろこんぶごと、四人の上へたおれてきた。

熊の姿を見た者は四人のなかに一人もない。四人がおのおの、世にもおそろしい幻を脳裡《のうり》にえがいただけである。ついでえもいわれぬ匂いがした。祖母はもう半分極楽へ行ったつもりでいたから、異香薫《いきょうくん》ずるその妙なるかおりがして来たと考えたが、極楽がこんなに生ぐさいわけはない。猛毒のような匂いである。地獄の匂いである。この毒気を吹きかけられて、四人は意識を失ってしまった。

熊はどうしたわけか、この四人にはかからなかった。きっと不味《まず》そうだと思ったのであろう。四人が夢うつつにきいた次の轟きは、熊が廊下の板壁をぶちわって、外へ出て行った音であった。

2

——緬羊《めんよう》小屋の屋根の上から、毅と夏子は熊のうごきを一部始終ながめていた。はじめ熊が来たことは、羊たちの只《ただ》ならぬけはいでわかった。次にやや遠くへ行ったのは、そこの日本犬がけたたましく吠《ほ》える声でわかった。犬の勢いに方向を転じた熊が、母たちのいる家の柱をへし折ったとき、夏子はおもわず声をあげそうになった。

夏子の体は居心地のわるい藁《わら》屋根の上で毅の体にぴったりくっついていた。闇夜のことで、毅の横顔をうかがうにも、瞳《ひとみ》を凝らさずにはよく見えない。夏子は男の肩にしがみついて、小声でしかし息をはずませてこう言った。

「大へん！　お母さまたちが殺される」

家族に冷淡なこの我儘《わがまま》娘にも、肉親の情が突然燃え立った。母親が殺されるとは夢にも考えなかった事件だが、それが今眼前で起ろうとしているのである。

「よりかかっちゃいけない。照準が狂うから。……君も銃を油断なく構えていたまえ。僕が射てというまでは射っちゃいけない。いいかい、君のはむしろ護身用なのだ。僕の邪魔になるようなことをしてはいけない」

「だって、お母様が」

「黙って！　そんな場合じゃない。僕に任せておきたまえ」

夏子は男のこうした場合の冷酷さに、女が嘴《くちばし》を入れてはいけないことをよく知っていた。しかし彼女は屋根を下りかけた。一人で母を救《たす》けに行こうとしたのである。

毅の腕が彼女の体を強く引上げた。夏子は熊につかまれたような気がした。

「今下へ行っちゃいけない」

「だって」

「危ないじゃないか」

「だって、お母様が」

「いけないと云ったらいけない！」

彼の拳固《げんこ》が夏子の頭をなぐった。軽くなぐるつもりが、緊張しているので、力が入った。夏子はふらふらして、今度は落ちまいとして屋根にしがみついた。

「おい」

隣りの屋根へ、低いがよく透る声で毅が呼びかけた。

「熊が出て来ても姿がはっきりみえるまでは射つな。見えたらすぐ射て」

「よおし」

予備隊君が呑気《のんき》など ら声で答えた。彼はお義理にもった村田銃を傍らへ置き、このごろの訓練で手馴《てな》れたピストルの銃口を、眼下の闇の中へじっと据えていた。

家の中にいた連中にはずいぶん長く思われた熊の在宅時間は、一分に充《み》たなかった。熊は出て来て、木かげの闇づたいに、いつのまにか射手たちのいる羊小屋の前へやって来ていた。

緬羊たちは一頭一頭、材木の流送に使う太いマニラ麻のロープでつながれていた。熊はおそろしい力でロープを引きちぎった。

生きたまま一頭を肩に背負った。背負われた羊は大人しくなって、声も立てない。羊を背負った熊は、重みのために歩みがのろくなった。中腰のような恰好《かっこう》でゆっくり歩きだすのが、たまたま毅の視野に入った。

毅がミットランド銃の引金を引いた。

熊は無言で腰を折って、姿勢を崩した。もっていた羊を前に放り出した。

そのうしろ姿に、予備隊君ともう一人の青年は同時に射った。

熊は倒れて動かなくなった。白い羊も、仮死状態のまま、動かない。

動かない熊を見戍《みまも》っている人々の沈黙は、言いがたい感情に充ちていた。期待と不安と、歓喜の予感とで、闇の中に倒れている黒い影を見戍っていたのである。

屋根の四人は順々に下りた。大抵の場合、射たれてから熊は荒れ狂うものであるのに、微動もしないのが、却《かえ》って不安だったのである。

四人は遠巻きにおそるおそる熊へ近づいた。毅がそばへ寄って、銃の台尻《だいじり》で毛皮をつついた。死を装っていた熊が、今にもはね起きて、襲いかかりそうに思われる。しかし突いても何の反応もない。夏子も二人の青年も、勢いを得て近づいた。毅がそのだらんとした大きな手をとりあげた。指をしらべた。一本は指の痕跡《こんせき》をのこすだけで、四本しか数えられない。やがて彼は立上ると、宣告するようにこう言った。

「死んでいる」

彼はそう言うと、銃を杖《つえ》にして、しばらく茫然《ぼうぜん》と立っていた。

3

――黒川支部長たち三人は、銃声をきいてから、十丁の余を部落まで駆けつづけた。部落の入口の野口と二人は、駆け出して、この成功の数分後に立会った。彼らは、親友の屍《しかばね》のまわりに集まった男たちのように、無言で長いこと息の絶えた態を見つめている人々を見たのである。

野口が予備隊君から感想をきいているあいだ、夏子は毅を促して、壊された家の中を見に行った。家中にはまだあの異臭の移り香が漂っている。板壁は引きさかれ、硝子《ガラス》は四散している。

二人がまず明るいままの八畳をのぞいたとき、異様な胸さわぎにかられずにはいられなかった。きちんと三人の蒲団が敷かれ、枕もとの畳に、三つの椀《わん》がころがっているほかに、何のかわりも見られない。カレンダアは明るい壁にきちんとかかり、古ぼけたフランス人形は、茶ダンスの上で首をかしげて媚態《びたい》を示している。しかも人影はなく、寂《せき》としているのである。

二人は引返して、廊下のつきあたりに倒れている唐紙を見た。唐紙を引きおこすと、折りかさなって、四人の女が倒れている。

「お母さま!」

と叫ぶと、夏子ははじめて泣き出した。

「しっかりするんだ。大丈夫だ」

と毅が言った。彼は手さぐりで電灯をさがして、スイッチをひねった。そのとき彼は昂奮《こうふん》の名残でふるえている自分の手に気づいた。

明りに照らし出されると、四人は仲よく寝ているようにみえた。その姿に血が流れていないのを見て、夏子はまずほっとした。

毅と夏子が一人一人抱きおこした。いちばんはじめに気がついたのは、二号さんである。

「おや、まあ」

と彼女は言うと、急に笑い出したので、二人は気がちがったのではないかと心配した。

毅が活を入れると、のこりの三人も順々に息を吹きかえし、夏子が台所から水を運んで額にあてるやら、呑《の》ますやら、大わらわに働いた。幸い誰も打ち所がよかったし、擦り傷一つ負っていなかった。

気を失った四人は、しばらくガタガタ歯の根が合わないほどふるえるばかりで、口をきくどころではなかったが、到着した黒川支部長が見舞に行くと、気丈な祖母は、こんなことを言い出した。

「とろ……とろこんぶを、私がぶつけたので、熊が、……あの、ひるんで、逃げましてございます」

第三十章　エピロオグ

1

部落の人たちは皆床を蹴《け》って起きてきた。熊のまわりには松明《たいまつ》がひしめいた。寝間着の子供たちは前のほうへ出ようとして、人垣をつくった大人たちの腿《もも》をおしのけようと懸命になっていた。

人喰《ひとく》い熊は松明の焰《ほのお》のゆらめきの下にくろぐろと横たわっていた。小山のようなという形容も嘘ではない。身長は七尺を超えていた。

こんな巨《おお》きな熊は見たことがないと古老は云い、記録には八尺の熊もあったというが、類《たぐ》いまれな大熊であることはたしかだった。

古来の習慣に従って、その場で熊は解体されたが、その臭さと来たら、一里四方に届くかと思われるほどで、例の八畳に寝かされている夏子の祖母たちは、その匂いをかいで、またぞろ熊が現われたかと思って、金切声をあげたほどである。

毛皮は剝《は》いでみると、四畳半にあまる広さであった。

銃弾が剔出《てきしゅつ》されたが、毅のミットランド銃の弾丸は、右の肋《あばら》から入って見事に心臓を貫ぬいていた。この一発が致命傷を与えたのである。

それを見ながら黒川氏は、うんと背のびをして、毅の肩を叩《たた》いた。

「よくやりましたな」

「いや、まぐれですよ」

「まぐれはわかっておる。こんなに具合よく行くことは、めったにあるものじゃない。何か目に見えないものの導きですよ」

スポーツマンには案外迷信家が多いものである。

『……目に見えない何かの導き……』

毅は空に大熊座を探したが、暗い天には星一つ見えなかった。

野口は手帳と鉛筆をもってうろついていたが、それはまるで運動会の係員に任命された小学生が、うれしくてたまらないので、むやみと人ごみを分けてうろついているという感じであった。彼は毅のそばへ来ると、不必要に小さな声で、こう言った。

「ねえ、井田君、君が熊を射った時に、僕も一緒に屋根の上にいたことにしといて、いいだろうね。そうしないと、記事に迫力が出ないんだ」

こんな気の弱さでは、新聞記者がつとまりそうにもないと思われたが、毅は快活にこう言った。

「いいとも、それなら熊のほうも、いっそ身の丈三メートルの大熊ぐらいに書いときたまえ」

夏子が毅のかたわらに寄り添うた。

松明の焔の影が、彼女の顔に深い彫りを与えた。目はきらめき、頬はもえていた。古代の女兵のように、夏子は凜々《りり》しく美しく見えた。

「お母さんたちはもう大丈夫だろ」

と毅が言った。

「ええ、安心したわ」

「さっきは痛かったろう」と毅は彼女の頭を指さして、「ああするよりほかはなかったんだ、あのときは」

「そんなことを仰言《おつしや》るから、痛かったのを思い出したわ。今まで忘れていたのに」

二人はお互いに、うれしいか、とか、今どんな気持か、とか訊《たず》ね合う必要がまったくなかった。ここ半月の共同生活で、夏子はほとんど毅の心の中を、その情熱の中を、生きて来たようなものだからである。

「射った人が毛皮と肝とをもらうのが、こっちの習慣なんだけど、僕は何ももらって行かないつもりなんだ」と毅が言った。

「なぜ?」

「もうこの熊のことを忘れたいんだ。きれいさっぱり忘れたいんだ」

「そうして……」

夏子は言い淀《よど》んだ。毅はその語尾を察して言った。

「そうだ。秋子のこともね」

この瞬間は、二人の恋がもっとも純粋に高まった瞬間だったと言っていい。

若い恋人同志の顔には、古代そのままの焰の影がゆらめいていた。青年の顔は神話時代の英雄の王子のようにみえ、夏子の顔は献身的な媛《ひめ》のそれであった。二人の瞳《ひとみ》には焰が映り、その一対の目はそのまま彫像に化したかのように、見つめ合って動かなかった。そうかと云って、抱き合っていたのでもない。唇を接していたのでもない。まわりの人々を憚《はばか》って、(事実多くの視線が、東京から来たこの英雄と美しいお嬢さんの一組に向けられていた)、二人は接吻《せっぷん》はおろか、抱き合うことも、手を握ることもしなかった。しかも二人の心は、どんな肉体的な接触も成就せぬほど完全に、合体していたのである。

野口が夏子に感想をきいた。

「あたくし、今、幸福よ」

エゴイストのお嬢さんは、そう言っただけで、口をつぐんだ。これでは熊狩りの感想にはなりはしない。

　野口はまた御丁寧に、病床の夫人連に感想をききに行った。彼女たちは葡萄酒《ぶどうしゅ》のおかげで頰に生色をとり戻していた。

「ただもううれしくてうれしくて、云うに云われないうれしい気持です。今は何と申しあげてよいかわかりません」

　というオリムピックで第一位になった女流水泳選手のような感想を、伯母《おば》はあおむけに寝て、額にのせた手拭《てぬぐい》の下から天井を見上げたままの姿勢で言った。

「これで一ト安心よ。私たちも、危いところで命が助かってみると、又と得られないいい体験をしたものだと思います」と母が言った。

　祖母の番になると、この元気なおばあさんは床の上に起き上った。

「野口さん、これを書きおとしたら、あなたを一生恨みますよ。この人たちの一命を救ったのは私なんだよ。私一人が気丈に熊をにらんで、鼻づらにとろろこんぶを投げつけてやったおかげで、熊がひるんで逃げたんです。熊の鼻のところをしらべてごらんなさい。きっと、とろろこんぶがくっついている筈《はず》です」

「でも、熊の体はもうすっかりほぐしちゃいました」

「ええ、残念だね。これが人間だと、警察が来るまで、現場に手をふれるのは御法度だと言いますがねえ」

——その晩は村中お祭りで夜明かしだった。村長夫人が詫《わ》びに来て、村長からと云って、夏子に一升罎《びん》を手渡したが、篝火《かがりび》の火影で見るその口の刺青《いれずみ》は、熊なんぞよりよほど怖ろしかった。

村長夫人に介抱されて、戸板にのせられた老村長が熊を見に来た。

痩《や》せおとろえた老村長の顔色は紙のように白かったが、その落ちくぼんだ目には俄《にわ》かに生色がよみがえり、焔がその頬を偽りの紅《くれな》いで彩った。熊の血みどろの屍《しかばね》を見るうちに、彼の心に青年時代の数々の狩の記憶がよみがえるらしかった。そのころ彼の四肢には青春の力がみちあふれ、彼の精悍《せいかん》な若い体軀《たいく》は、野山を獣のように馳《は》せめぐった。その若葉のそよぎ、その頬を切る風、その狩猟の歓喜、獲物の血をすする狂おしい喜びまでが、ありありと老い衰えた目のなかによみがえるのがうかがわれた。

老人は口をうごかして何か言おうとした。しかし何も言えない。白い髭《ひげ》におおわれた口はみにくく歪《ゆが》むばかりである。するうちに、一筋の涙が、眼尻《めじり》から流れて光った。これを見た毅たち一同は、どんな讃辞《さんじ》をきくよりも感動した。

村長の別宅が、気絶組に占領されているので、お祝いの酒宴は、黒川支部長と同じ場所で熊を見張った青年の家でひらかれた。

毅は大牛田十蔵のとなりに坐《すわ》った。

十蔵はその大きな掌に、玩具《おもちゃ》の杯のようにみえるお猪口《ちょこ》をのせて、目を細めて少しずつ呑《の》んだ。彼は彼なりに、寡黙に喜びと満足を味わっているらしかった。

「あすかえったら、仏前に報告しよう。秋子も喜んでるだろう。毅さんに仇《かたき》をとってもらって、又その毅さんの弾丸が熊の心臓に中《あた》るなんて、俺は自分が仕止めたよりか、よっぽどうれしい」

毅もしんみりして、こう言った。

「僕も行くよ。二人でお墓参りをしよう」

「ああ、家中引連れてお墓参りだ。あんたも嫁さんをつれて、一しょに来るんだ」

「嫁さんじゃないよ」

「はあ、それじゃなんだ」

「まだ嫁さんじゃないんだよ」

「そうかね。それじゃあ悪口を云っても、かまわないかね」

「いいとも」

「あの女は別品だけど、子供を生まない女だよ。俺の目に大体狂いはない。男たらしで、そのくせ子供を生まない女だ。俺だったら、あんな嫁さんはもらわない」

毅がうつむいて黙ってしまったので、十蔵はあわてて言葉を切った。

「言いすぎたかね。気にしてくれるなよ。悪気で言ったのじゃないからな」

「いいんだ」

夏子はその席にはいなかった。母たちの枕許《まくらもと》で看病していたのである。大袈裟《おおげさ》とは縁のない二号さんは、すっかり元気になって、いそがしく立ちはたらいていた。伯母は寝息を立てていたが、祖母と母はいつまでも恐怖を語り合って、話のカンドコロへ来るたびに体をふるわせた。

夏子はふと横になって、母の枕のそばへ顔を伏せた。昂奮《こうふん》がすでにさめかけていたのか、はげしい疲労が襲って来た。そこに顔を伏せたと思ったら、体中がしびれたように眠くなって、いつか寝息を立てはじめた。

母は自分の夜具をかけてやりながら、その寝顔をつくづく見つめて言った。

「何もかも皆、この子に引きずられて起ったことですわ。こんな子供っぽい寝顔をしているのに」

「本当にかわいい寝顔だ」と、祖母も言った。

「まちがいはありません。正真正銘の生娘《きむすめ》の寝顔ですよ」

2

札幌タイムスは、「アベック熊狩りに勝利の栄冠」という見出しで、三面記事のトップに報道し、このニュースは東京の大新聞にまで取り上げられた。熊狩りが成功すれば、夏子の失踪《しっそう》の家庭的秘密も、祖母・母・伯母の一家同伴の事実の援《たす》けで、何ら秘密ではなくなるわけだから、このことあるを慮《おもんぱか》った成瀬編集長は野口の出発前に東京へ電話をかけ、事前に社長の承諾を得ておいたのである。

野口はこの記事の成功で、成瀬氏から金一封を頂戴《ちょうだい》し、俄《にわ》かにお覚えがめでたくなった。成瀬氏はなかんずく彼の名文を大勢の社員の前でほめそやしたが、この名文は野口の文章を八分どおり成瀬氏自身が添削したものである。

札幌の宿におちついて静養中の松浦一家は、食欲不振に陥って、困っていた。夏子一人はよく喰《た》べよく寝たが、ほかの三人は、何をたべても熊の匂いがするような気がして、口に入らなかったのである。

墓参をすました毅がこの宿へ来ると、夏子より以上に、夫人連の歓迎が大へんだった。彼は、松浦家と同行して帰京すべきことを殆《ほと》んど命令されたが、これはもとより彼ののぞむところだった。

生命の危険にかかわりのある事件は、人々の心をうんと近づける。今では毅は、祖母にも伯母にも、肝腎《かんじん》の母親にも、又とないお気に入りの婿がねだった。三人は若い二人の前で、結婚したら二人の住む小ぎれいな小住宅をお父様にたのんで新築してあげるとまで、公然と約束したのである。

彼らはやがて体力を恢復《かいふく》すると、函館へ行って思い出の宿に半日おちつき、夜航の連絡船で青森へ渡ることになった。

札幌駅では、成瀬氏、黒川氏、十蔵などの見送りで賑《にぎ》やかだったが、函館港の埠《ふ》頭《とう》には、思いがけない見送り人が現われた。札幌出発の時、急用で見送りに出られなかった野口が、どこで打合わせたものか、例の牧夫の愛らしい娘不二子と同伴で、テープを持ってわざわざ見送りに来たのである。

夏子と不二子は、今は姉妹のような親しい握手をした。夏子は仕立直して着てもらうように、自分の洋服を二着惜しげもなく不二子にやった。不二子は遠慮して押返したが、それを着ることでたまには自分を思い出してもらいたいという夏子の言葉で、この思いがけぬ美しい贈物をうけとった。

二人のもって来たテープは黄と青だった。港の明るい照明のなかで、夏子と不二子をつなぐ黄のテープは、毅と野口をつなぐ青のテープともつれ合った。テープがするするとのびて、やがて切れようとしたときに、夏子は自分の黄のテープを毅にもたせ、毅の青のテープを自分が持った。この微妙な力の変化は、埠頭の二人にもすぐ伝わったらしく、夏子と毅の若い視力は、野口と不二子のうれしそうな微笑のひろがりをはるかに見た。

「あの二人は結婚するのかしら」と夏子が呟《つぶや》いた。

「そのつもりなんだろうね」と毅は答えた。

二人は香港《ホンコン》の夜景に似ていると云われる、函館市の函館山山麓《さんろく》の灯の堆積《たいせき》が、きらめきながら、イルミネーションに飾られた軍艦のように重々しく遠ざかってゆくのを見た。夜気はすでに寒い。深夜の海上には、すでに秋が訪れているのである。

「あのへんが丁度潮見ヶ丘神社だわ」

夏子は山麓の灯がやがてまばらになるあたりを指さした。

「山のてっぺんにも灯があるね」

「そうね。何のあかりでしょう。あそこに住んでいる人があるのかしら」

二人は五人一室に詰めこまれた一等船室のむしあつさに、わずかのあいだ浸った眠りの中で、函館山頂の天使のような雲にふちどられた山々の眺望を夢みた。

朝、夜明けと共に、毅と夏子は甲板へ出た。

朝風は頬を搏《う》ち、船尾の斜めの方角から、うすい朝霧をつんざいて、日が昇りかけていた。海は徐々に桃いろに染まり出した。

「東京へかえったら、いつ結婚しよう」

と毅が夏子の肩に手をかけて言った。

「そうね。いつでもいいわ」

このあまりぱっとしない返事にも臆《おく》せずに、青年は自分一人の空想に酔って言いつづけた。

「僕、東京へかえったら、こんな道草の埋め合せにうんと働くぜ。倉庫の研究に、いつかアメリカへ出張させてもらうかもしれないんだ。結婚しても、はじめは苦しいけど、二三年もたてば、そうだ、二三年もたてば、君に着物を作ってやれるようになるさ。子供を作るのなんか、急がなくていい。僕は毎日健康な体で会社に通って、君も健康な体で洗濯やなんかすればいい。週に一回、二人で映画へ行こう。君、ダンス好き」

「ええ、……まあ、好き」

「困ったな。僕、とても下手なんだ。君に教わって、タンゴでもルンバでも、器用に踊るようになろうよ。……そうして、十年もたって、僕があの会社の重役にしてもらえたら、二人でアメリカへ行こうよ。行けないことないと思うな。自動車が買えたら、すてきだろうな。今のところは夢物語だけど。……それから、二人で結婚して住む家は……」

　夏子は毅の目をじっと悲しそうに見つめていた。青年の目はなるほど「希望にかがやいて」いた、しかし、それは煙草の箱に入った銀紙のような安っぽい輝きである。はじめてこの青年の目を見たときに、あれほど彼女を魅し、あれほど彼女の全身をさらってゆく力をもっていたあの輝き、あの輝きはすでに、どこにもない、片《へん》鱗《りん》もない！

今やこの美しいが凡庸な青年の目のなかには、情熱のかけらも見られない。どこにもある目の輝きである。朝夕の通勤電車の中、退《ひ》け時の銀座界隈《かいわい》の、どこにでも掃いて捨てるほどある青年の目である。若いから輝いている。それだけのことだ。

どうしたのだろう。あの大熊座の星のような輝きはどこへ行ったのだろう。夏子はたゆみなく考えた。

『そうだ、熊を仕止めたからだ。熊を仕止めて以来、この人はあの輝きを失くしてしまったのだ』

夏子の悲しげな表情は、次のような青年の独り言で頂点に達した。

「……結婚してすぐ住む家は、通勤に不便でも、郊外がいいな。門を入ると、小さな花壇があって、白いポーチがある。月並だけど、そういう家を建てようよ。君のおやじさんが建ててくれるんだから、我儘《わがまま》がきくな。君がうんと我儘を言って、きれいな可愛らしい家を建ててもらおう」

「一寸《ちよつと》失礼ね」

夏子は彼のかたわらを離れた。毅は深く考えもせずに、訝《いぶ》かしそうに彼女を見送った。すぐ帰ってくるにちがいない。

夏子は上甲板からロビーへ出た。ロビーはすでに青森着と共に下ろされる荷物の行列のあいだを、ボオイたちがうろうろしている。

夏子は今の気持は誰にもわかるまいと思う。説明したって、わかってくれる人はいない。生意気な我儘娘、貼られるレッテルはそれだけだ。

船室で目をさまして、注文したコーヒーのうすさに不平をこぼしながら、仕方なくコーヒー茶碗《ぢやわん》に口をつけようとしていた母と祖母と伯母《おば》の三人は、入って来た夏子がいきなり鞄《かばん》の中を探し出す異様な素振におどろかされた。

「何を探しているの?」

「時間表。……青森から函館行の船は何時に出るのかしら」

「え、何ですって? 函館行? 何かとんでもない忘れ物でもしたんですか?」

夏子は黙っている。スカートのポケットに手をつっこんだまま、丸窓の前へ行った。船はやがて青森港へ入るらしい。

彼女はくるりとふりかえると、その性格的な、一種の特徴のある断定的な口調で言った。

「夏子、やっぱり修道院へ入る」

三人は呆気《あつけ》にとられて、匙《さじ》を置いた。三つのコーヒー茶碗から立つ湯気ばかりが、この神秘的な沈黙のなかを、香煙のように歩みのぼった……。

解説　熊をめぐる冒険――一九五一年の文藝ガーリッシュ

千《ち》野《の》帽《ぼう》子《し》

二六歳の三島由紀夫が書いた、お嬢さん大活躍の小説『夏子の冒険』（一九五一）は、彼の長篇小説のなかでももっともガーリッシュな魅力に溢《あふ》れているもののひとつです。

情熱を肚《はら》の底にじっと沈めたヒロイン・松浦夏子は、〈在学中から降るほどの申込をうけた。学校を出てのちは、夏子のまわりに男の姿を見ないときはなかった〉。敗戦から数年後で、日本はまだ占領下。女子の四年制大学進学率はのちの時代とは比べものにならないほど低く、良家のお嬢さんは名門と言われる高校なり短期大学なりを出て、「良縁」を待つことが多かったのです。夏子もそうした二〇歳のお嬢さんのひとりでした。

これが三島の九年後の作品『お嬢さん』になると、主人公は大学に通っていて、高度経済成長期には四年制大学に行く女子が増えたことがわかります。と同時に、

『お嬢さん』の主人公は、結婚話が纏《まと》まるとすぐに大学を辞めてしまう、そしてこれもまた「当たり前のこと」として書かれているのです。女子大学生の就職状況の厳しさもあって、女子にとっての大学は、当時はまだ戦前の「女學校《じょがっこう》」の要素を残していたのですね。

話を本書『夏子の冒険』に戻しましょう。先の引用を読むと、夏子がまるで恋多き女のような気がしてしまいますが、そうではない。夏子の情熱は当人が持て余すほど強いものだから、ちょっといいなと思う男の子がいても、その子に所帯じみた堅実さ、ありきたりな出世欲、尋常な弱気、俗物臭い気取りなどなど、要するに情熱の欠如をちょっとでも感じたとたん、自治体指定の退屈な男専用ポリ袋に入れて所定の場所にさっさと出してしまう、それが夏子のやりかた。法学部の助手だろうと建築学科の学生だろうと、パルプ会社のサラリーマンだろうとアーティスト志望の若者だろうと、〈要するに都会の青年はすっかり目の輝きを失っていた〉。

目の死んだ青年たちに飽きた夏子はある朝、朝食のテーブルで、〈あたくし修道院へ入る〉と宣言しました。修道院とは尋常ならざる決意ですが、吉屋信子の少女小説『桜貝』のように、波瀾《はらん》万丈の運命に翻弄《ほんろう》されたヒロインたちが、世の無常を嘆じて修道院に入るという結末があるなど、娯楽小説ではさほど突飛な話でもなかったようです。要するに古典文学における「出家」と考えれば、『春の雪』にはじまる三島の《豊饒の海》四部作で伯爵令嬢・綾倉聡子がやったことも同じです。ただ『夏子の冒険』が違うのは、スタンダードな物語なら結末に持ってくる「出家の決意」から小説が始まる、というところ。と書けば、本書をすでにお読みになった読者なら、思わず笑みがこぼれるでしょう。解説を先にお読みの読者は、本篇読了後いま一度、拙文をお読みくださいますよう。

梅雨明けのある日、祖母と伯母《おば》と母につき添われて、函館・天使園修道院へと旅立つ夏子は、出発間際、上野駅のプラットフォームで猟銃を背負った青年を見つけ、その目の輝きを見て〈ああ、あれだわ〉と口のなかで叫ぶのでした。

その若者・井田毅《つよし》はかつて、恋人の秋子（アイヌ古潭《コタン》で育った和人の娘）を四本指の凶暴な熊に惨殺された過去があり、彼女の仇《あだ》を討つために会社を休んで北海道を訪れようとしています。夏子は函館で母たちの目を盗んで、毅の宿を訪ね、その情熱に打たれました。〈ねえ、あたくしもつれて行って〉。〈あたくし仇討のお供をしたいの。いいでしょう。どこへでもついて行くわ〉。それはいいんだけど、〈あたくし、子供のときから、一度云いだしたことはきかないの〉って自分で言うか？

毅は二度にわたって夏子を撒《ま》こうとします。なにしろこの冒険に、毅は死をも覚悟している。気分は完全に『白鯨』のエイハブ船長。女など連れていては足手纏いで覚悟も鈍る、連れて行けるわけがない。しかし敵もさるもの、行動力と機転にかけて人後に落ちぬ夏子は、二度とも彼をつかまえてしまうのでした。〈行先はおしらせできません。きっと無事でかえってきますから、御安心下さいませ〉。旅館に書き置きを残して姿を晦《くら》ました夏子。びっくりしたおばさま三人組は夏子の追跡を開始します（松浦家のおばさまがたは、本書では完全にコメディリリーフ）。熊、熊を追う毅、毅にぴったり張りついて離れない夏子、夏子を捜索するおばさまたちと、夏の北海道を舞台に、スリリングでちょっとコミカルな追いかけっこの始まりです。

＊

最終頁まで読むと、夏子の欲望はじつは、三島が前々年に発表した『仮面の告白』の〈私〉の欲望、前年の『愛の渇き』の悦子の欲望を反復し、発展させたものだったとも思われるのですが、いっぽうで三島個人の履歴を超えて考えると、本書は「近代国家」と「北海道」の関係を反映した一連の小説――有島武郎『カインの末裔』、吉屋信子『海の極みまで』、武田泰淳『森と湖のまつり』、安部公房『榎本武揚』、池澤夏樹『静かな大地』など――の系列に属します。

〈どちらかというと南方系の顔である。祖父は紀州の大きな材木商であった（…）〉。そして名前が夏子。物語の季節もまた夏。つまり夏子が北海道に乗りこむことで、北海道に夏が来る――もちろん、ものの喩《たと》えではありますが。都会の青年にうんざりしている夏子が北海道を目指すのは、紀州から上京したまま東京にとどまって安寧の日々を送っている松浦家にもうんざりしている、ということでしょうか。

　なお、村上春樹の『羊をめぐる冒険』が本書のパロディあるいは書き換えであるという仮説も近年、よく目にします（佐藤幹夫『村上春樹の隣には三島由紀夫がいつもいる。』、高澤秀次『吉本隆明　1945―2007』、大澤真幸『不可能性の時代』）。

　言われてみれば『羊をめぐる冒険』の第一章の題は「1970／11／25」という、三島が自衛隊市ヶ谷駐屯地で自決した日付で、そのなかに〈一九七〇年十一月二十五日のあの奇妙な午後〉、〈ラウンジのテレビには三島由紀夫の姿が何度も何度も繰り返し映し出されていた〉と書かれていましたっけ。

*

　夏子と松浦家の女性たち、そして井田毅と並んで、本書の物語を引っ張っていく重要な登場人物が、札幌タイムス社員・野口と、Y牧場のオーナーの娘・不二子です。野口は毅の友人で、小太りで若禿《はげ》の三枚目キャラ。お人よしで、夏子についつい思いを寄せてしまいます。
いっぽう、小説のちょうどまんなかあたりで登場する野性的な美少女・不二子のようすを、三島は「第十六章」や「第二十章」でずいぶんと叮嚀《ていねい》に記述しています。このあたり、夏子はキャラクター的にちょっと不利。「第十七章」では、物理的にも性格的にもこまかいことの苦手な夏子に代わって、屈託なく手際のいい不二子がなにくれとなく毅の面倒を見てしまうので、夏子の心は揺らぎます。

夏子は不二子の気持を、はっきりつかみ、毅の気持をもはっきりつかんで、その上で嫉妬しているわけではない。何となく夏子に出来ないこと、夏子の持っていないものを、そのまま露骨に代行している不二子が、気に入らなかったのである。夏子がこういう風に自分に欠けているものを意識しだしたのは、生れてはじめてといってよかった。恋が彼女を弱くしたのであろうか?

これは驚きです。小説の冒頭で、製薬会社社長の御曹司・研一に車で強引に連れて行かれそうになった夏子が、眉《まゆ》ひとつ動かさずに運転中の研一の両頬へのダブル根性焼き（未遂だけど）で車を引き返させた――そして、ちょっとは見どころがありそうだと思っていた研一が、根性焼きの脅し程度で夏子の命令に唯々諾々と従ってしまう予想外のヘタレっぷりに愛想を尽かしてしまった――その心意気と比べてみるなら、私ならずとも読者は、夏子どうしちゃったの？と訊《き》きたくなる。どうしちゃったの、ってもちろん、恋しちゃったのに決まってるわけですが。

そんなわけでこの前後、〈ぶっきらぼうに〉〈少し怒ったように〉話す不二子のほうが、ヒロインである夏子よりはるかにチャーミングに描かれています。この場面で夏子が不利なのは、語りの視点が夏子に置かれたり、あるいは語り手が夏子の気持ちを分析したりすることの比重が大きくなり、要するに夏子の心理が克明に記述されるようになったからです。

登場人物にとっての小説の語りというのは、「内面」がより叮嚀に記述されちゃった者が「負け」ということが多い。本格探偵小説で、視点が名探偵ではなくワトスン役にあるのは、真相を読者の目から隠しておく必要があるからですが、その結果として、探偵は「魅力的な他人」「わけのわからないことをする人物」として描かれることが多くなります。本書では、冒頭で持っていた夏子の「わけのわからなさ」を、中盤の不二子の「わけのわからなさ」がいったん凌駕《りょうが》してしまっているわけです。

もちろん夏子はこのまま終わるキャラではありません。冒頭で「わけのわからないことをする女」として紹介された夏子は、恋をすることによって「わけのわかることをする女」になったあと、小説の最後のどんでん返しで、「納得できる『わけのわからないこと』をする女」になる。なんという「正↓反↓合」のヘーゲル的弁証法（使いかた違う?）。となると物語に与える作用から考えるに、夏子と不二子って、アニメーションで言えば『交響詩篇エウレカセブン』におけるエウレカとアネモネ、『新世紀エヴァンゲリオン』における綾波とアスカに相当するものかもしれない。

ここまでだって、スリリングな冒険小説としても恋愛コメディとしてもたいへん上出来だった本書が、ラスト三頁のひとひねりでさらに奇蹟《きせき》的な着地を見せてくれるわけで、小説というものはときどきこういうことをするからほんとうに困る。いい意味で。

私は三島の長篇小説では《豊饒の海》四部作や『恋の都』『幸福号出帆』『盗賊』と並んで、いやひょっとするとそれ以上に、この『夏子の冒険』が好きです。二〇〇五年には《東京新聞》での連載で、本書について短い紹介文を書きました（拙著『文藝ガーリッシュ　素敵な本に選ばれたくて。』所収）。当時はこの角川文庫版が長きに亙《わた》って品切れ中で、そのことがなにより残念でした。

このたびの復刊は喜ばしいかぎりですが、旧版になかった「解説」を書くという重責を、うまく果たしえたでしょうか。解説を先にお読みのみなさまには、読了後にもう一度、この頁でお目にかかりましょう！

二〇〇九年一月、京都

本書は『決定版　三島由紀夫全集』（新潮社）を底本とし、角川文庫旧版を参照して、現代仮名遣いに改めました。
本文中には、今日の人権擁護の見地に照らして、不適切と思われる表現がありますが、著者自身に差別的意図はなく、また、著者が故人であること、作品自体の文学性・芸術性を考え合わせ、原文のままとしました。

（編集部）

夏子《なつこ》の冒険《ぼうけん》

三島由紀夫《みしまゆきお》

昭和35年 4月10日　初版発行
平成21年 3月25日　改版初版発行
令和7年 6月25日　改版23版発行

発行者●山下直久

発行●株式会社KADOKAWA
〒102-8177　東京都千代田区富士見2-13-3
電話　0570-002-301（ナビダイヤル）

角川文庫 15624

印刷所●株式会社暁印刷
製本所●本間製本株式会社

表紙画●和田三造

●お問い合わせ
https://www.kadokawa.co.jp/（「お問い合わせ」へお進みください）
※内容によっては、お答えできない場合があります。
※サポートは日本国内のみとさせていただきます。
※Japanese text only

ISBN 978-4-04-121211-0　C0193

角川文庫発刊に際して

角川源義

第二次世界大戦の敗北は、軍事力の敗北であった以上に、私たちの若い文化力の敗退であった。私たちの文化が戦争に対して如何に無力であり、単なるあだ花に過ぎなかったかを、私たちは身を以て体験し痛感した。西洋近代文化の摂取にとって、明治以後八十年の歳月は決して短かすぎたとは言えない。にもかかわらず、近代文化の伝統を確立し、自由な批判と柔軟な良識に富む文化層として自らを形成することに私たちは失敗して来た。そしてこれは、各層への文化の普及滲透を任務とする出版人の責任でもあった。

一九四五年以来、私たちは再び振出しに戻り、第一歩から踏み出すことを余儀なくされた。これは大きな不幸ではあるが、反面、これまでの混沌・未熟・歪曲の中にあった我が国の文化に秩序と確たる基礎を齎らすためには絶好の機会でもある。角川書店は、このような祖国の文化的危機にあたり、微力をも顧みず再建の礎石たるべき抱負と決意とをもって出発したが、ここに創立以来の念願を果すべく角川文庫を発刊する。これまで刊行されたあらゆる全集叢書文庫類の長所と短所とを検討し、古今東西の不朽の典籍を、良心的編集のもとに、廉価に、そして書架にふさわしい美本として、多くのひとびとに提供しようとする。しかし私たちは徒らに百科全書的な知識のジレッタントを作ることを目的とせず、あくまで祖国の文化に秩序と再建への道を示し、この文庫を角川書店の栄ある事業として、今後永久に継続発展せしめ、学芸と教養との殿堂として大成せんことを期したい。多くの読書子の愛情ある忠言と支持とによって、この希望と抱負とを完遂せしめられんことを願う。

一九四九年五月三日

角川文庫ベストセラー

お嬢さん　三島由紀夫

大手企業重役の娘・藤沢かすみは20歳、健全で幸福な家庭のお嬢さま。休日になると藤沢家を訪れる父の部下たちは花婿候補だ。かすみが興味を抱いた沢井はプレイボーイで……「婚活」の行方は。初文庫化作品。

にっぽん製　三島由紀夫

ファッションデザイナーとしての成功を夢見る春原美子は、洋行の帰途、柔道選手の栗原正から熱烈なアプローチを受ける。が、美子にはパトロンがいた。古い日本と新しい日本のせめぎあいを描く初文庫化。

幸福号出帆　三島由紀夫

虚無的で人間嫌いだが、容姿に恵まれた敏夫は、妹の三津子を溺愛している。「幸福号」と名づけた船を手に入れた敏夫は、密輸で追われる身となった妹と共に、純粋な愛に生きようと逃避行の旅に出る。純愛長編。

愛の疾走　三島由紀夫

半農半漁の村で、漁を営む青年・修一と、湖岸の工場に勤める美代。この二人に恋をさせ、自分の小説のモデルにしようとたくらむ素人作家、大島。策略と駆け引きの果ての恋の行方は。劇中劇も巧みな恋愛長編。

藪の中・将軍　芥川龍之介

『今昔物語』を典拠に、真実の不確かさを巧みな構成で鮮やかに提示した「藪の中」、神格化された一将軍の虚飾を剝ぐ「将軍」等、様々なテーマやスタイルに挑戦した大正10年頃の円熟期の作品17篇を収録。

角川文庫ベストセラー

白痴・二流の人　坂口安吾

敗戦間近。かの耐乏生活下、独身の映画監督と白痴女の奇妙な交際を描き反響をよんだ「白痴」。優れた知略を備えながら二流の武将に甘んじた黒田如水の悲劇を描く「二流の人」等、代表的作品集。

堕落論　坂口安吾

「堕ちること以外の中に、人間を救う便利な近道はない」。第二次大戦直後の混迷した社会に、かつての倫理を否定し、新たな考え方を示した『堕落論』。安吾を時代の寵児に押し上げ、時を超えて語り継がれる名作。

不連続殺人事件　坂口安吾

詩人・歌川一馬の招待で、山奥の豪邸に集まった様々な男女。邸内に異常な愛と憎しみが交錯するうちに、血が血を呼んで、恐るべき八つの殺人が生まれた――。第二回探偵作家クラブ賞受賞作。

肝臓先生　坂口安吾

戦争まっただなか、どんな患者も肝臓病に診たてたことから〝肝臓先生〟とあだ名された赤木風雲。彼の滑稽にして実直な人間像を描き出した感動の表題作をはじめ五編を収録。安吾節が冴えわたる異色の短編集。

明治開化　安吾捕物帖　坂口安吾

文明開化の世に次々と起きる謎の事件。それに挑むのは、紳士探偵・結城新十郎とその仲間たち。そしてなぜか、悠々自適の日々を送る勝海舟も介入してくる……世相に踏み込んだ安吾の傑作エンタテイメント。

角川文庫ベストセラー

人間失格
太宰 治

無頼の生活に明け暮れた太宰自身の苦悩を描く内的自叙伝であり、太宰文学の代表作である「人間失格」と、家族の幸福を願いながら、自らの手で崩壊させる苦悩を描き、命日の由来にもなった「桜桃」を収録。

ヴィヨンの妻
太宰 治

死の前日までに13回分で中絶した未完の絶筆である表題作をはじめ、結核療養所で過ごす20歳の青年の手紙に自己を仮託した「パンドラの匣」、「眉山」など著者が最後に光芒を放った五篇を収録。

ろまん燈籠
太宰 治

退屈になると家族が集まり〝物語〟の連作を始める入江家。個性的な兄妹の性格と、順々に語られる世界が重層的に響きあうユニークな家族小説。表題作他、バラエティに富んだ七篇を収録。

津軽
太宰 治

昭和19年、風土記の執筆を依頼された太宰は3週間にわたって津軽地方を1周した。自己を見つめ、宿命の生地への思いを素直に綴り上げた紀行文であり、著者最高傑作とも言われる感動の1冊。

愛と苦悩の手紙
太宰 治
編／亀井勝一郎

獄中の先輩に宛てた手紙から、死のひと月あまり前に妻へ寄せた葉書まで、友人知人に送った書簡二一二通。太宰の素顔と、さまざまな事件の消息、作品の成立過程などを明らかにする第一級の書簡資料。

角川文庫ベストセラー

門　夏目漱石

かつての親友の妻とひっそり暮らす宗助。他人の犠牲の上に勝利した愛は、罪の苦しみに変わっていた。宗助は禅寺の山門をたたき、安心と悟りを得ようとするが。求道者としての漱石の面目を示す前期三部作終曲。

こころ　夏目漱石

遺書には、先生の過去が綴られていた。のちに妻とする下宿先のお嬢さんをめぐる、親友Kとの秘密だった。死に至る過程と、エゴイズム、世代意識を扱った、後期三部作の終曲にして、漱石文学の絶頂をなす作品。

明暗　夏目漱石

幸せな新婚生活を送っているかに見える津田とお延。だが、津田の元婚約者の存在が夫婦の生活に影を落としはじめ、漠然とした不安を抱き——。複雑な人間模様を克明に描く、漱石の絶筆にして未完の大作。

文鳥・夢十夜・永日小品　夏目漱石

夢に現れた不思議な出来事を綴る「夢十夜」、鈴木三重吉に飼うことを勧められる「文鳥」など表題作他、留学中のロンドンから正岡子規に宛てた「倫敦消息」や、「京につける夕」「自転車日記」の計6編収録。

道草　夏目漱石

肉親からの金の無心を断れない健三と、彼に嫌気がさす妻。金に囚われずには生きられない人間の悲哀と、意固地になりながらも、互いへの理解を諦めきれない夫婦の姿を克明に描き出した名作。